KT-487-332

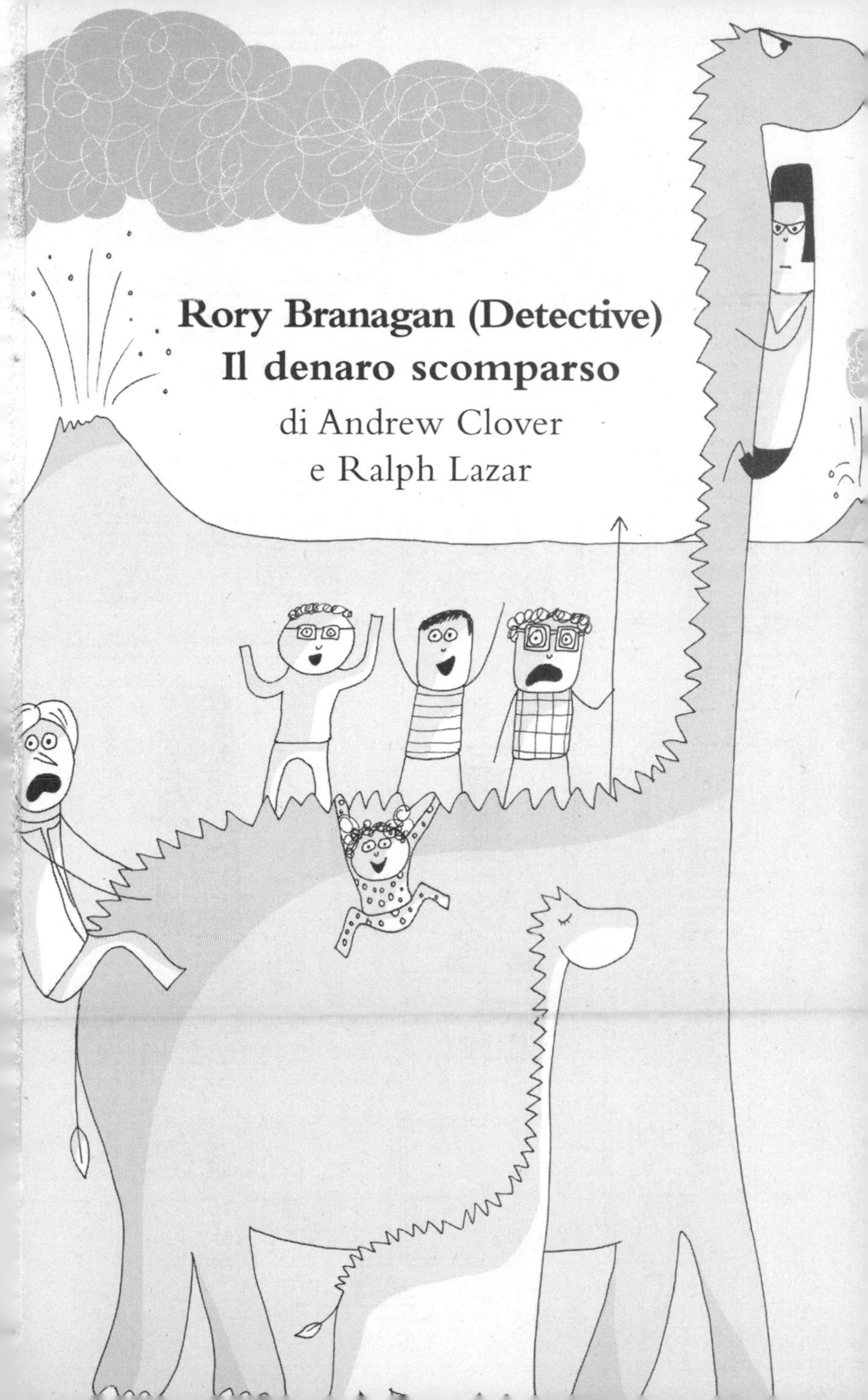

Rory Branagan (Detective)
Il denaro scomparso

di Andrew Clover
e Ralph Lazar

RORY BRANAGAN (DETECTIVE)

SEAMUS BRANAGAN

STEPHEN MAYSMITH

CASSIDY CALLAGHAN

ANGOLINO GILLIGAN

MIKE TYSON

CUCCIOLO DI MIKE TYSON

TESTA AMMACCATA O'MALLEY

GUY "OCCHI" MURPHY

MICHAEL MULLIGAN

SIG.RA WELKIN

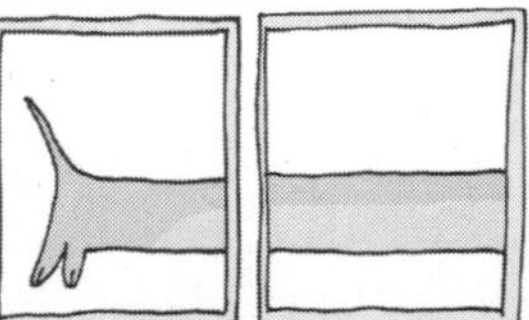

WILKINS WELKIN

NOÈ GROSSENARICI

PROF.SSA BIRKINSTEAD

LUMACONA

FIONA McTAVISH

DRAGO DI KOMODO

SIG.RA CHIPSTEAD

PROF. BULTON

PROF. MEETON

SIG.RA DANIELS

DUNCAN CLIFFHEAD

STEVEN MCEVER

NIGEL BINAISA

Rory Branagan (Detective)
Il denaro scomparso

di Andrew Clover
e Ralph Lazar

Traduzione di
Maura Nalini

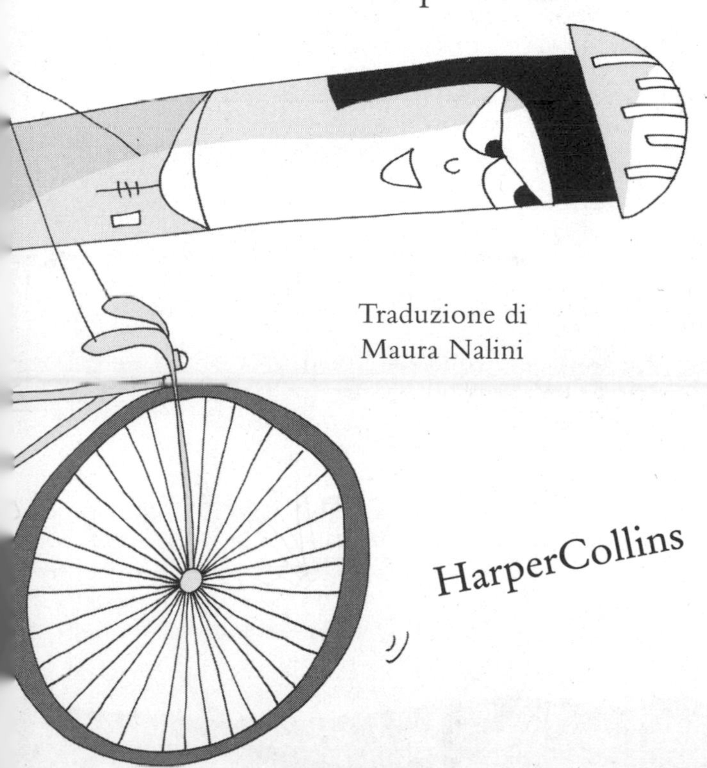

HarperCollins

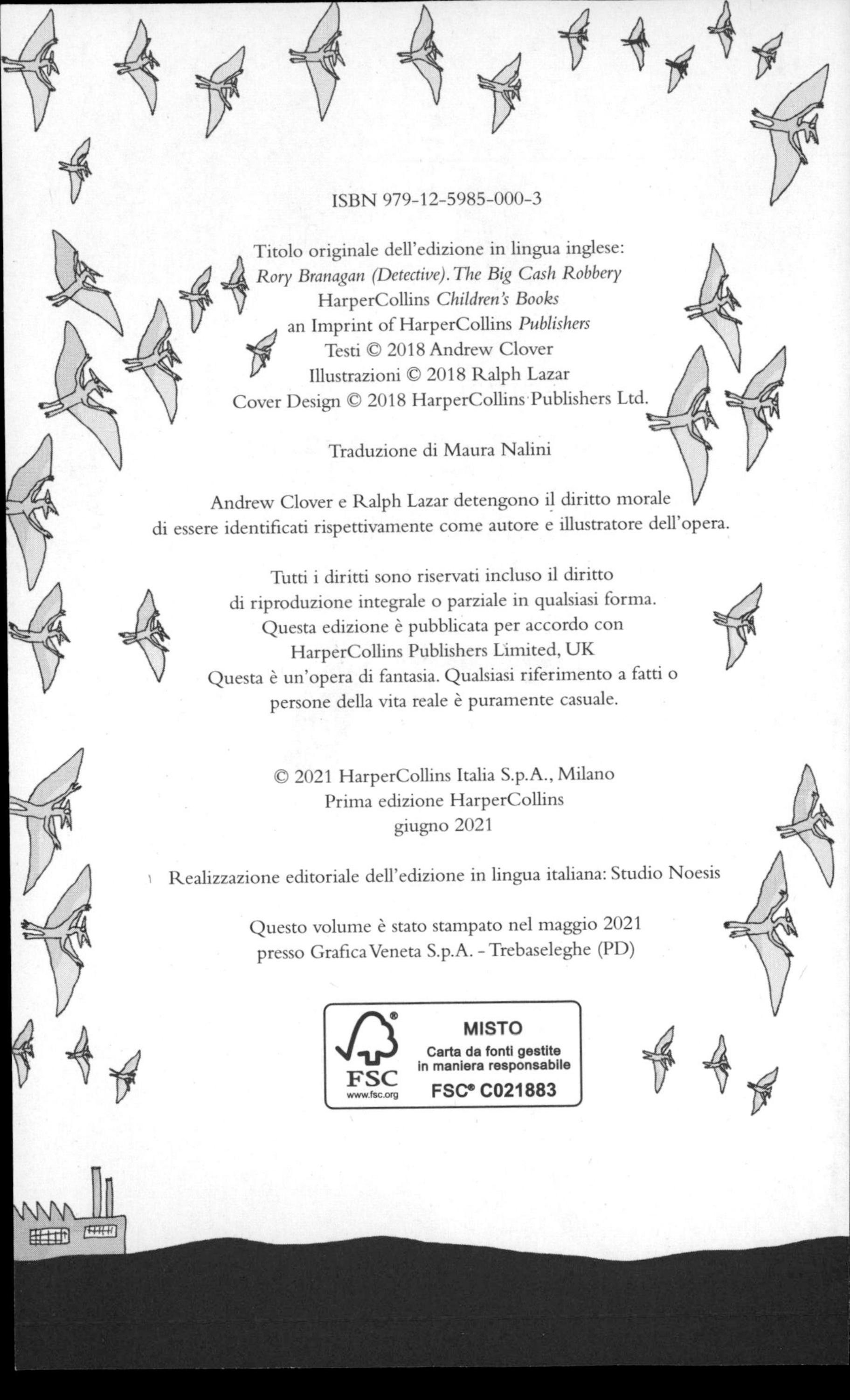

ISBN 979-12-5985-000-3

Titolo originale dell'edizione in lingua inglese:
Rory Branagan (Detective). The Big Cash Robbery
HarperCollins *Children's Books*
an Imprint of HarperCollins *Publishers*

Traduzione di Maura Nalini

Prima edizione HarperCollins
giugno 2021

Realizzazione editoriale dell'edizione in lingua italiana: Studio Noesis

Questo volume è stato stampato nel maggio 2021
presso Grafica Veneta S.p.A. - Trebaseleghe (PD)

MISTO
Carta da fonti gestite
in maniera responsabile
FSC www.fsc.org
FSC® C021883

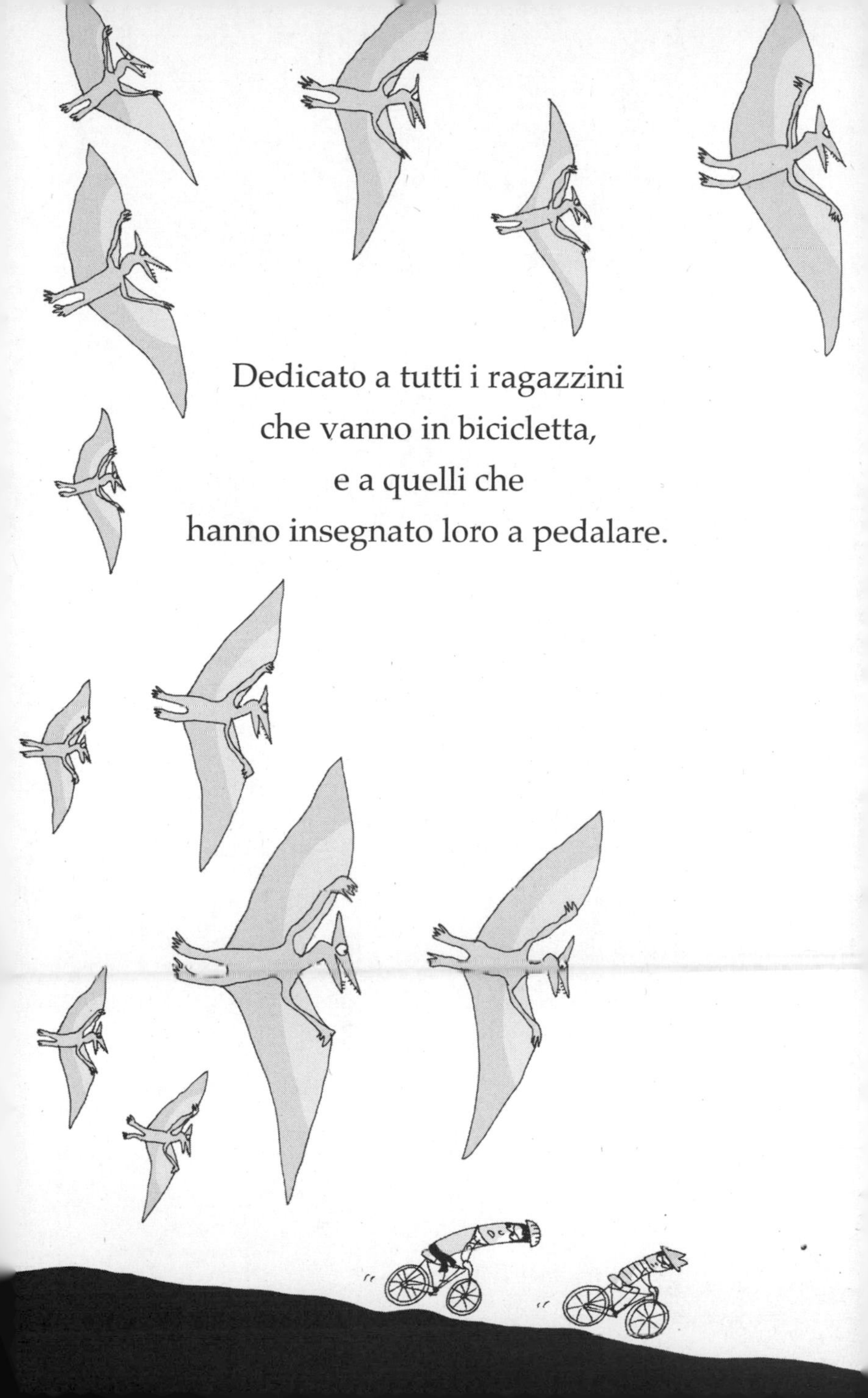

Dedicato a tutti i ragazzini
che vanno in bicicletta,
e a quelli che
hanno insegnato loro a pedalare.

Mi chiamo Rory Branagan e sono
un detective.

Solo una settimana fa, io e la mia migliore amica, Cassidy "la Gatta" Callaghan, abbiamo dato la caccia ad alcuni AVVELENATORI.

Hanno cercato di scappare, ma noi ci siamo TUFFATI nella mischia e li abbiamo ***ACCIUFFATI***.

È stato davvero boombastico.

OKAY. Non posso assicurarvi di essere il più grande *detective al mondo*, degno di *una statua gigante*.

Ma sono senza dubbio *il più grande della mia famiglia*.

RORY BRANAGAN (DETECTIVE)

Perciò, potete *immaginare* come mi sono sentito quando, arrampicandomi sulla *casa sull'albero* (con del cioccolato, il libro sui dinosauri e Wilkins Welkin, il mio amico bassotto)…

ho trovato…

«Che cosa STAI FACENDO?» chiedo.

«Niente, riflessioni *da detective*» risponde.

Non posso crederci. Vorrei dargli uno *spintone e buttarlo giù dall'albero*.

Vorrei dargli uno spintone
e SPEDIRLO IN UNA
PALUDE!

PALUDE

«Tu non sarai MAI *un detective!»* ruggisco.

«No, *tu* non lo sarai!» sogghigna Seamus. «Ti *spaventi* con niente!»

«TU ti spaventi con niente» contrattacco. «Hai persino paura dei RAGNI!»

«Io *non* ho paura dei ragni!» ribatte lui.

In quel momento, *vede* un ragno. Lo afferra.

«Me lo metto persino sulla faccia!» dice. E lo fa!

Il ragno non si muove.

Mio fratello *somiglia* a un ragno gigante, perciò forse pensa di essere al sicuro.

«*Tu* non lo faresti mai» mi sfida. «Hai paura di *tutto*!»

«NON è vero» protesto.

«Se per caso incontrassi un grosso,
enorme DINOSAURO» dico,
«*gli* salterei sul muso...
e poi lo
cavalcherei...»

«… lo lancerei al *TUO inseguimento…*»

«… e gli ordinerei di staccare A MORSI LA TUA *GROSSA TESTA…*»

«… e di spedirla *NELLO SPAZIO con la sua cacca*!»

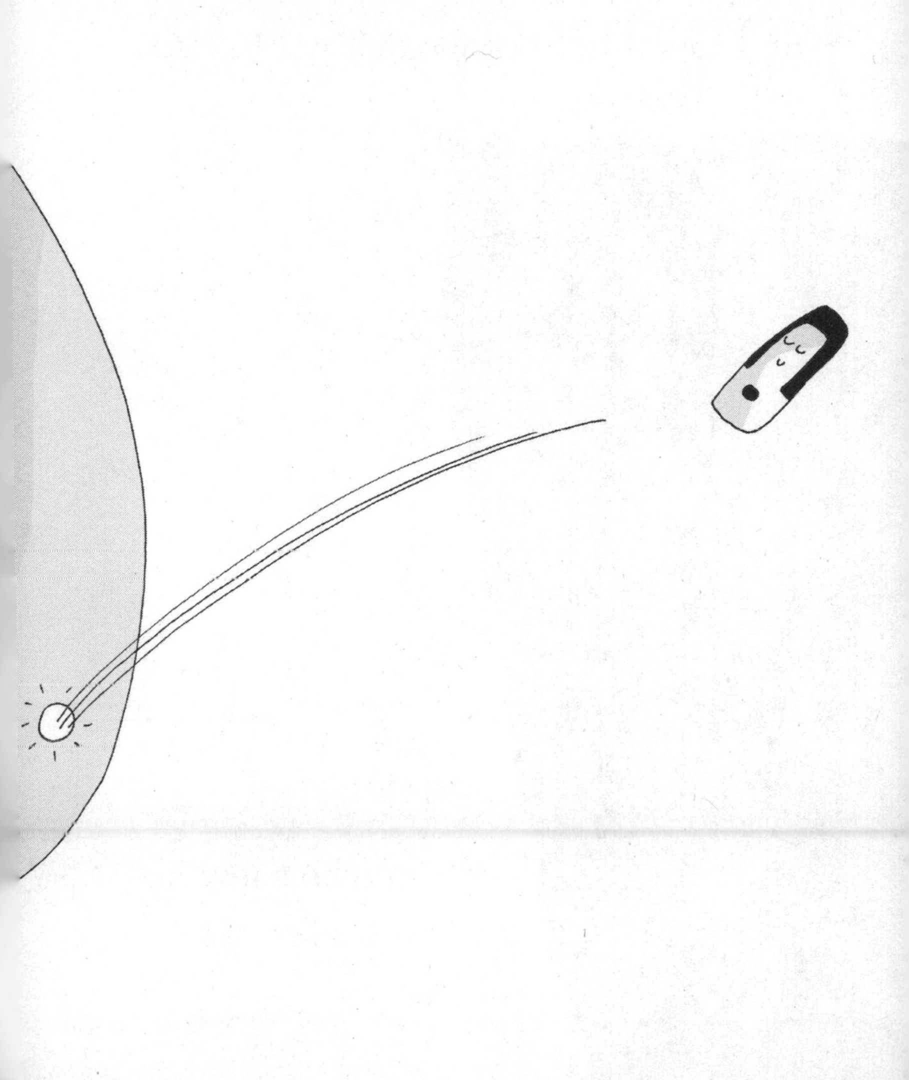

«*Ahahah!*» ride lui. «Ma se hai paura di TUTTO! Persino dell'ALTEZZA!»

(Io non ho paura dell'altezza. Ho paura di *cadere*!)

«Anche se ti trovassi di fronte il dinosauro più piccolo del mondo» continua mio fratello, «saresti TERRORIZZATO e te la daresti a gambe!»

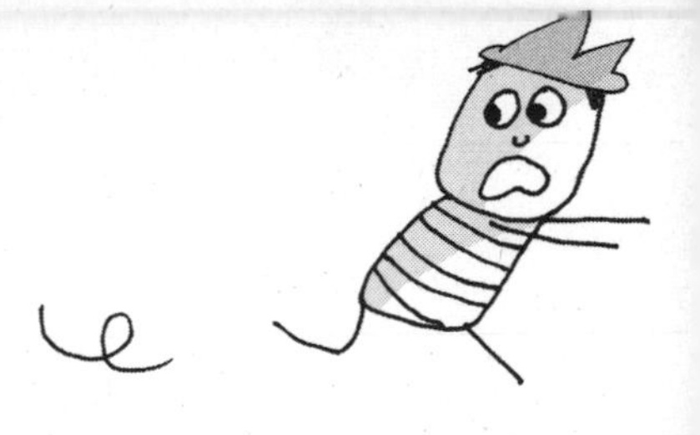

«Hai paura persino della tua *preside*!»

Io non rispondo.

Mi fanno paura TUTTI i presidi: la loro attività principale consiste nell'aggirarsi qua e là come *velociraptor,* lanciando OCCHIATE MALVAGIE.

Ma NON lo ammetterò *mai* con mio fratello.

Gli do una spintarella
sul petto.

«Se ti mettessi nei miei panni da detective per un giorno SOLO» dico, «avresti così tanta PAURA che scapperesti DALLA MAMMA A PIANGERE!»

«SCOMMETTO DI NO!»
risponde lui.

Ed è allora, il *giorno dopo* per la precisione, che io e mio fratello *scopriamo un crimine orrendo, terribile, nella mia scuola,* che comprende *altezze,* PRESIDI e un PERICOLO così *MORTALE* che probabilmente saremmo più al sicuro se fossimo inseguiti da *velociraptor con la* TESTA DA PRESIDE sulle pendici di un vulcano.

Vi racconterò tutta la storia.

Prima, però, devo parlarvi delle scuole della nostra città…

CAPITOLO UNO
Le due scuole

C'è la King George School, la scuola degli *snob*. È vicino alle colline ed è composta da moltissimi edifici, con torri alte dieci piani…

Ha persino *dieci* campi da calcio,
e una *gigantesca* piscina con i trampolini,
e venti docili pony che i bambini
possono cavalcare.

E poi c'è la nostra scuola,
la Saint Bart…

Si trova accanto alla vecchia fabbrica, è composta da *un solo* edificio e ha *un solo* animale: la signora Chipstead, la gallina della scuola, che becca i bambini.

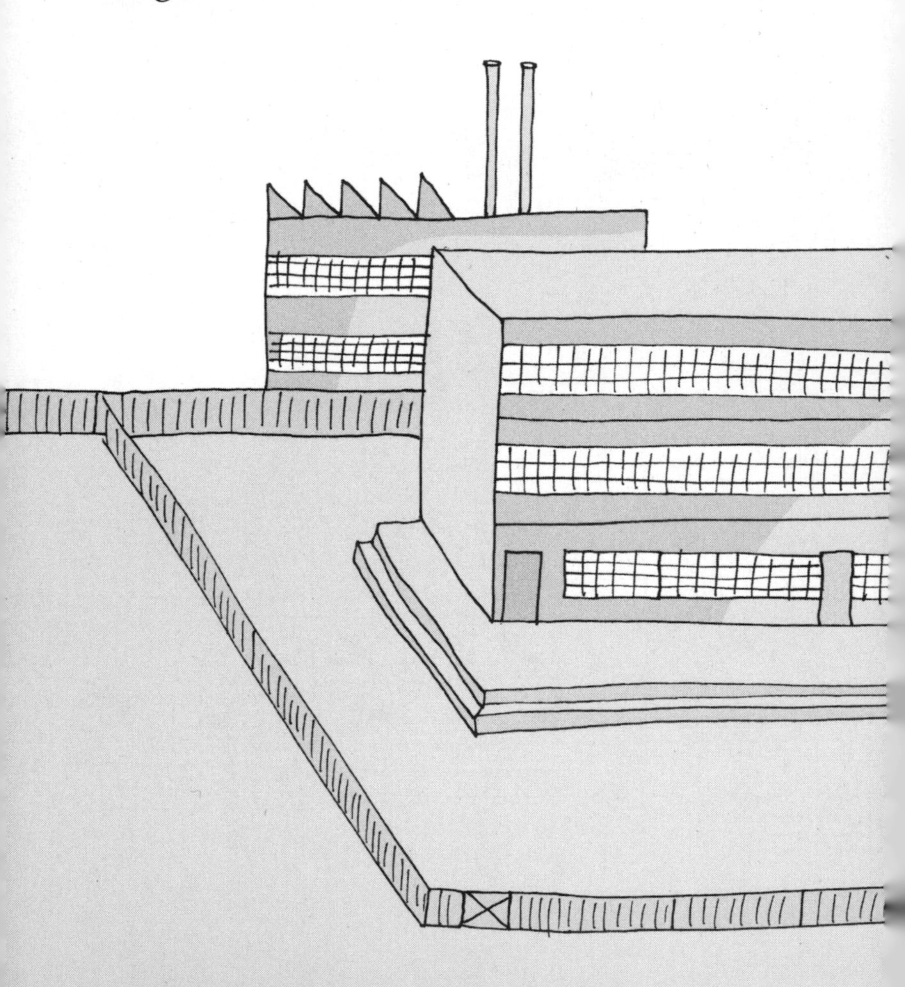

E poi abbiamo UN solo campo da calcio, che ha UNA sola porta SENZA la rete, e una pozza fangosa sotto la traversa così *grande* che non mi stupirei se ci fossero i *coccodrilli,* pronti a mordere le chiappe del portiere.

C'e bisogno di una bella ristrutturazione.

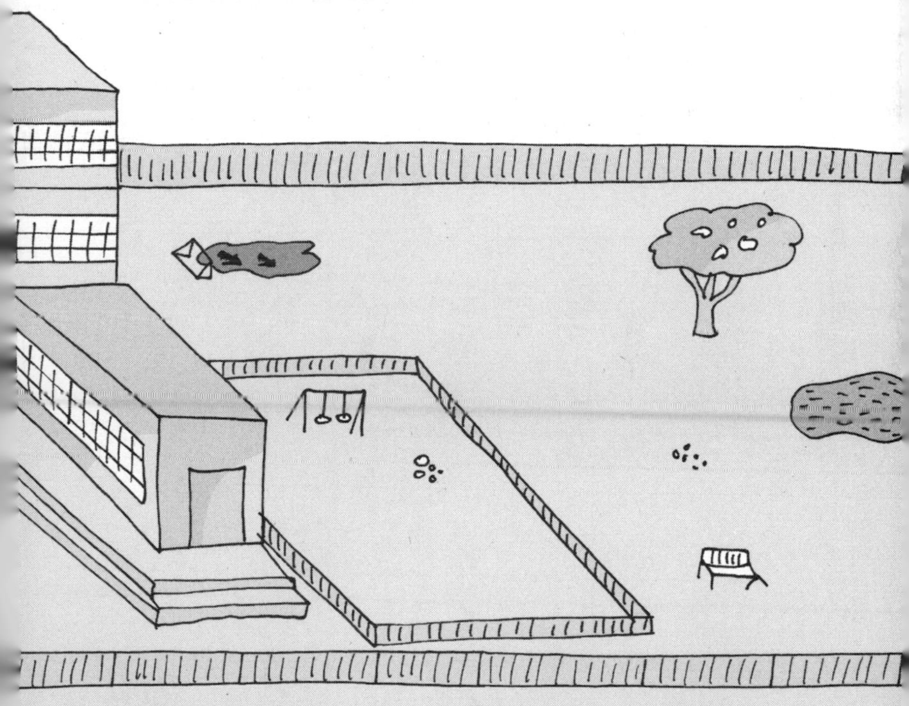

Alla King George School non sarebbe un problema. Organizzerebbero una FESTA MEGAGALATTICA con il *bungee-jumping,*

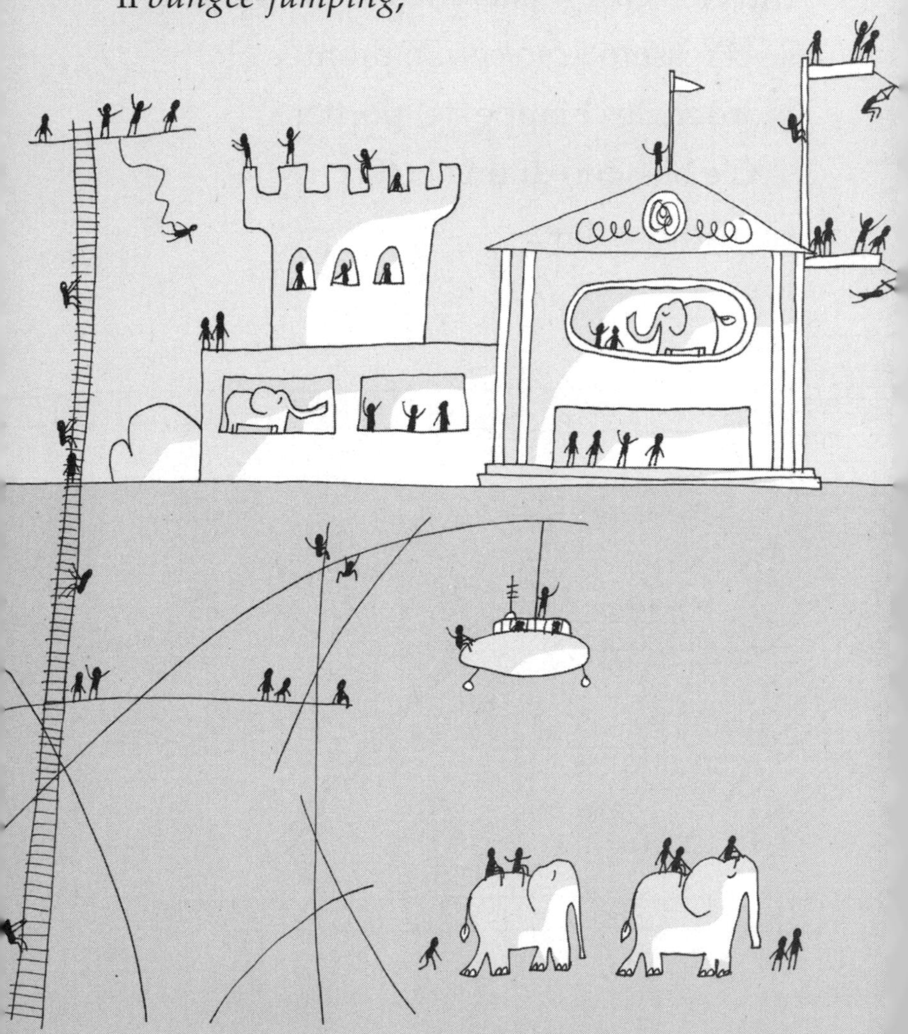

e *tuffi nella piscina olimpionica* e giri gratis
in sella a un *elefante* o su un'*astronave,*
e probabilmente raccoglierebbero
venticinque milioni e rimetterebbero
tutto a posto.

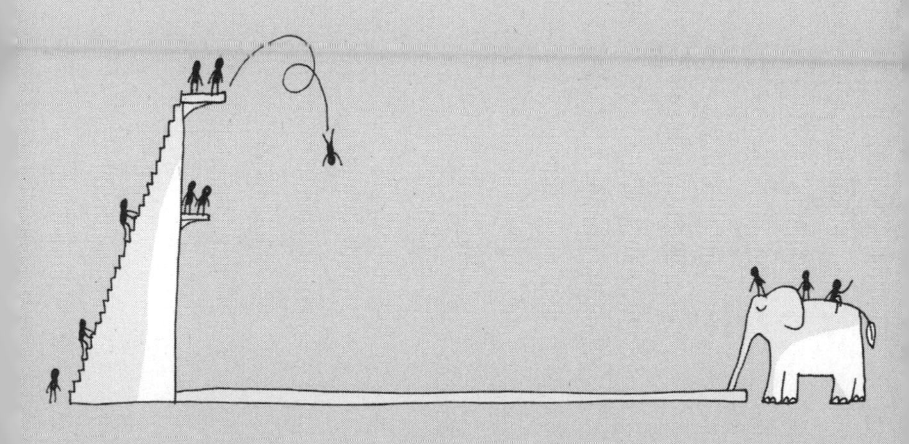

Alle nostre feste ci sono due mamme dietro una pila di libri ammuffiti. *Nessuno* va in visibilio per questo.

Raccolgono fondi per roba che non vuole nessuno, come i *dispositivi di sicurezza per i giochi in cortile destinati ai bambini di prima,* che noi tutti detestiamo.

Quelli del primo anno dovrebbero avere *una gigantesca altalena* su cui dondolare *sopra un fossato* pieno di *coccodrilli affamati,* che a ricreazione dovrebbero avere il permesso di mangiare un bambino.

Quest'anno la nostra preside si è assentata per seguire un corso speciale. Il suo nome completo è professoressa *Birkinstead*-laurea triennale-laurea magistrale-master in *presidologia* (ha un sacco di qualifiche). Noi, però, la chiamiamo professoressa *Tacchinell* (perché somiglia a un tacchino).

Ha lasciato la scuola nelle mani del professor Meeton e del professor Bolton, i vicepresidi.

Al professor Bolton piace la grammatica, dirti che hai sbagliato e inzuppare i biscotti nel tè.

È un *idiota*.

Il professor Meeton invece è una vera *leggenda,* sarebbe potuto diventare una rockstar o un campione olimpico di ping pong. (Lo so: sono *capitano* della squadra di ping pong.)

Ha iniziato la sua prima assemblea con un fantastico *assolo di chitarra*…

… e poi ha detto di essere stato incaricato della gestione dei fondi per la prossima festa scolastica. E ci ha chiesto cosa vorremmo cambiare alla *Saint Bart.*

Duncan Cliffhead si è alzato in piedi. È un ragazzo di prima media, grosso e peloso. «Vogliamo un nuovo campo da calcio!» ha detto.

«Non mi piace la signora Chipstead» ha detto Amelia de la Court. «Prendiamo un animaletto più simpatico.»

«Ragazzi» ha detto il professor Meeton. «Pensate troppo *in piccolo*. Cosa vorreste DAVVERO, in questa scuola?»

Il mio amico Angolino Gilligan è saltato in piedi.

«Vorrei un PARCO AVVENTURA!» ha detto.

Tutti hanno ESULTATO.

«Come dovrebbe essere questo parco avventura?» ha chiesto il professor Meeton. *«Scatenate la vostra immaginazione.»*

Si sono voltati tutti verso di me, perché a scuola è risaputo che possiedo una fervida immaginazione.

«Dovrebbe essere un'ENORME struttura per arrampicarsi» ho detto. «A forma di *drago*.

Con un LUNGHISSIMO SCIVOLO che gli esce dalla bocca, come una lingua!»

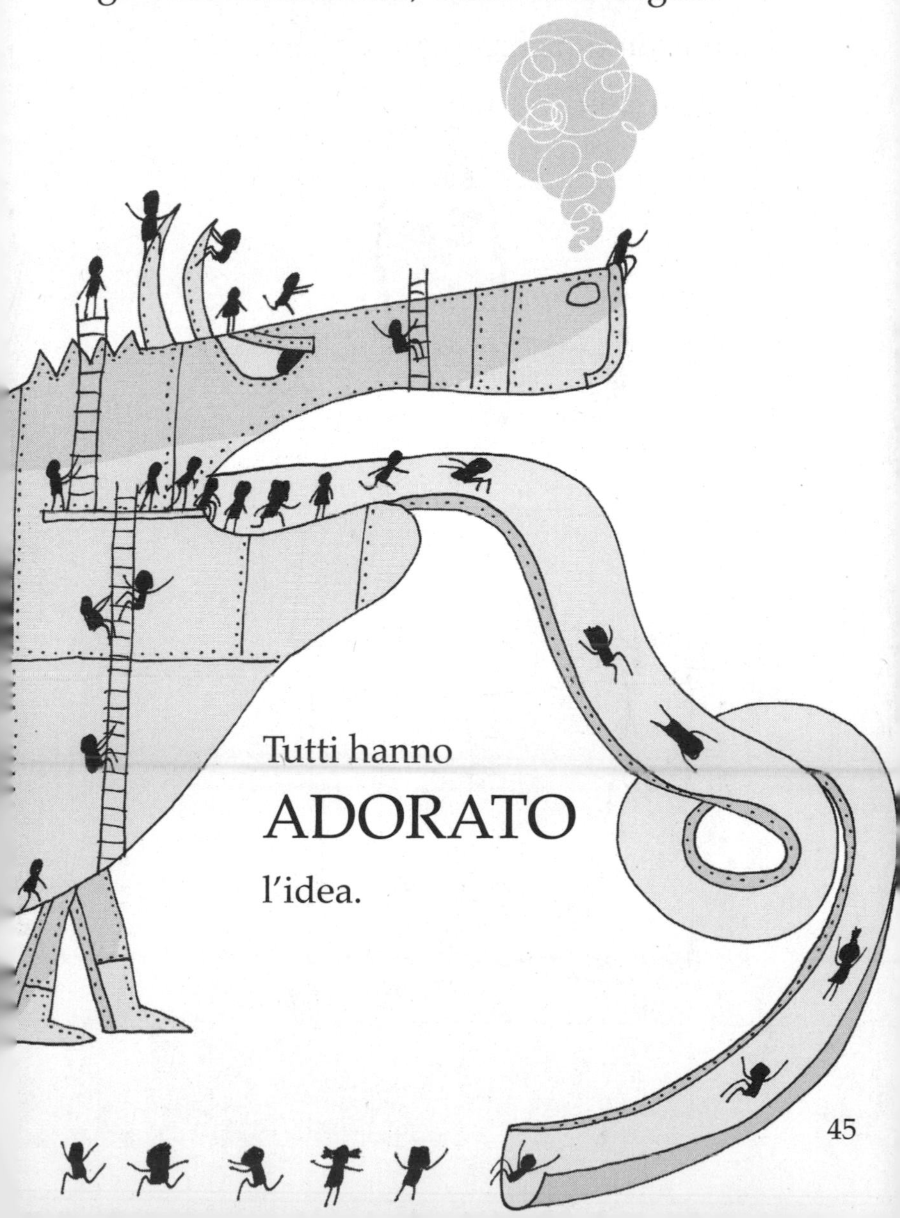

Tutti hanno

ADORATO

l'idea.

Duncan Cliffhead è intervenuto di nuovo. «Mio papà fa il falegname» ha dichiarato. «Scommetto che è capace di costruire il drago.»

«Potremmo addirittura comprare la vecchia fabbrica» ha detto Angolino.

«Potremmo avere *scivoli che scendono dal tetto,* e mettere i *criceti* al piano terra, i *trenini elettrici* al secondo piano e all'ultimo una piscina, CHE RIEMPIREMMO DI PINGUINI!»

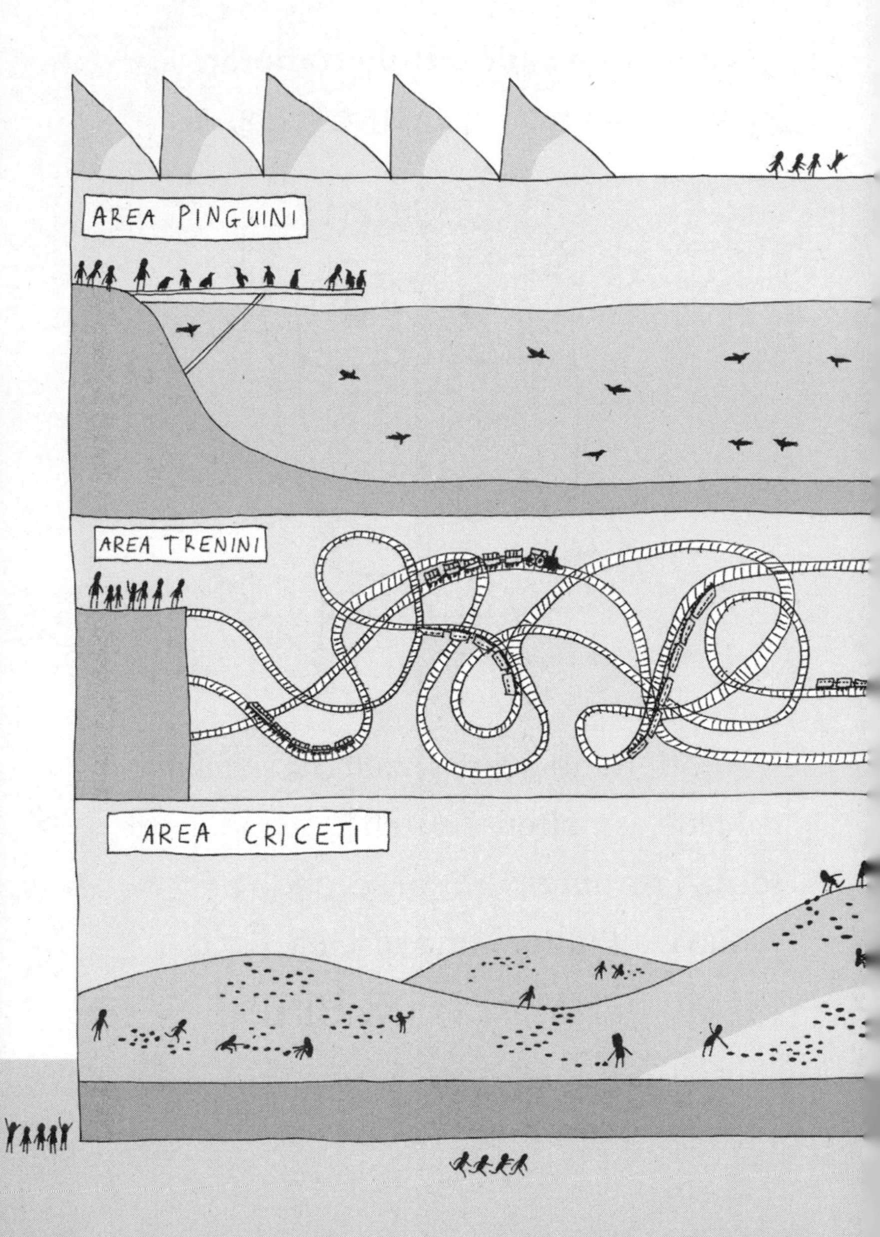
AREA PINGUINI
AREA TRENINI
AREA CRICETI

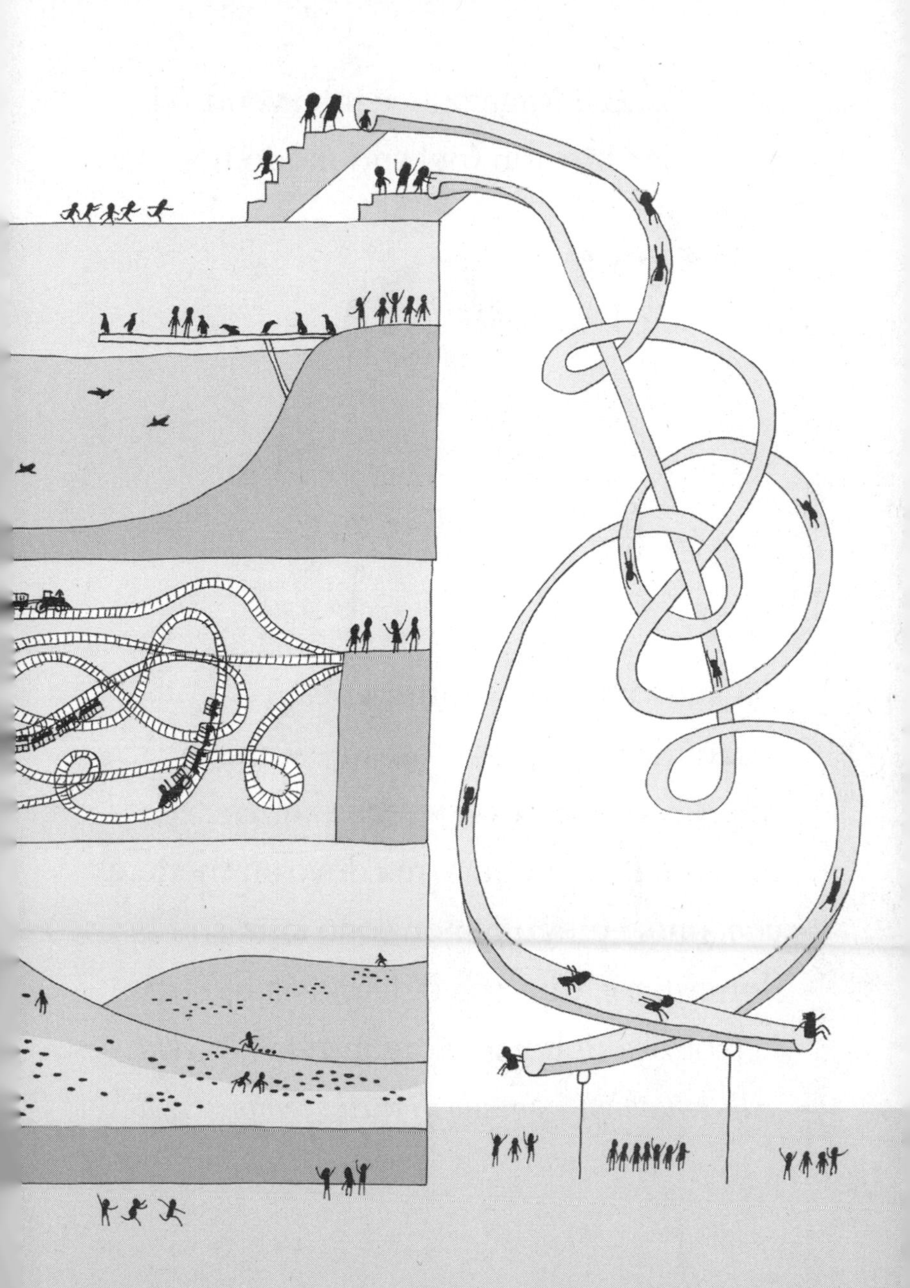

«Ragazzi! Ragazzi!» è intervenuto il professor Meeton (nel suo modo figo da rockstar).

Credo che una struttura per arrampicarsi si *possa* costruire – anche se probabilmente costerebbe almeno diecimila bigliettoni – ma devo ammettere che, uno, i pinguini non sono animali domestici e, due, se vogliamo comprare la fabbrica dobbiamo organizzare *la festa della scuola più grande di tutti i tempi!*»

A quel punto, Angolino è salito sulla sedia.

«CHE NE DITE DI ORGANIZZARE LA FESTA DELLA SCUOLA PIÙ GRANDE DI TUTTI I TEMPI?» ha chiesto.

E tutti hanno risposto: «SÌÌÌ!!!».

E poi hanno iniziato a ripetere in coro: «*Pinguini! Pinguini!*».

CAPITOLO DUE
Una festa magnifica

Questo weekend c'è stata la festa della scuola più GRANDE e più FANTASTICA *che il mondo abbia mai visto!!!*

C'erano lottatori di sumo…

… un castello gonfiabile…

… e il labirinto di cartone più bello di sempre.

Angolino ha organizzato una gara di criceti.

Sotto la finestra abbiamo messo un grosso materasso, come quelli che usano le controfigure, e le persone pagavano *per lanciarsi di sotto.*

C'erano UN SACCO di cose belle.

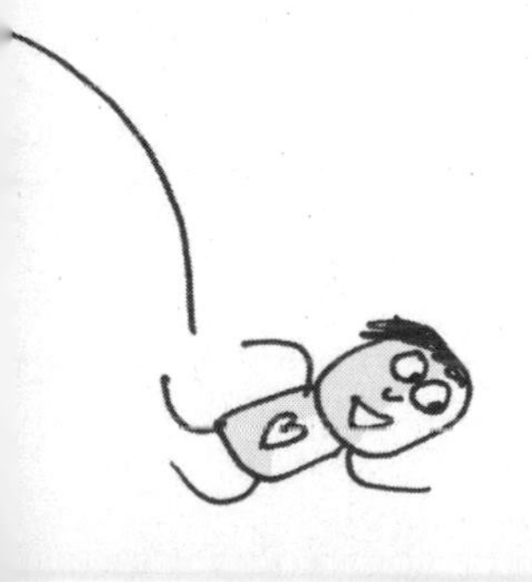

Ognuno vendeva qualcosa.
Un ragazzo ha portato tutto quello che aveva in casa. Sua sorella lo ha implorato: «*No, le mie Barbie no, ti prego!*». E così la gente ha iniziato a comprare le Barbie, per poi *restituirgliele!*

La bambina piangeva dalla gioia.

Angolino ha gridato: «Se mi date un biglietto da dieci, canterò *It ain't me* di Selena Gomez!».

Steven McEver ha gridato di rimando: «Te ne do uno da venti se NON lo fai!».

Angolino ha gridato: «*D'accordo!*».

E Steven McEver ha mantenuto la promessa.

Il professor Meeton ha organizzato un ballo di gruppo di proporzioni *epiche*. Si potevano addirittura indossare i costumi del corso di teatro!

Un tizio vestito da *stegosauro* ha infilzato un'inserviente della mensa. Angolino ha riso così tanto che gli è uscita la *bibita* dal naso. Non ho mai visto nessuno ridere così forte.

È venuta anche la mia amica, la signora Welkin, e ha portato un sacco di torte. L'ho aiutata a venderle, e sono *orgoglioso* di dire che sono andate a ruba!

(È ovvio: le sue torte sono deliziose!)

È venuto anche Wilkins Welkin.
Ha preso parte alla corsa dei cani e si è aggiudicato il premio speciale: una torta di carne macinata.

Non l'ha vinta *davvero*. Ha imbrogliato ed è partito dieci secondi prima, ma *nessuno* ci ha fatto caso. Tutti *amano* Wilkins.

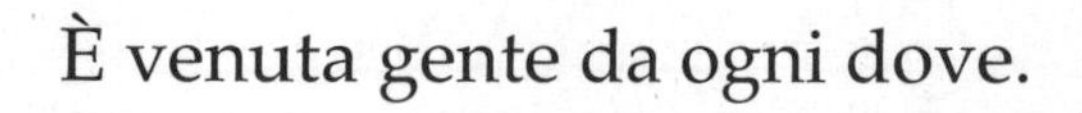

È venuta gente da ogni dove.

C'era persino la preside della King George School, che è la sorella della professoressa Birkinstead. È la donna più snob e più spaventosa che abbia mai visto. Somiglia alla professoressa Tacchinell, ma con le perle al collo e i capelli cotonati, e penso che si sia fatta la plastica al viso perché il suo labbro superiore sembra una *lumaca sul punto di scoppiare.*

«È venuta a controllare che la scuola di sua sorella non faccia *sfigurare* la King George?» ha chiesto la signora Welkin.

«*Questo* non accadrà mai» ha detto Lumacona, e se n'è andata con la sua fetta di torta.

«È sempre stata invidiosa, quella lì» ha sentenziato la signora Welkin.

Poi è arrivata una *Rolls-Royce* nera. Ne sono usciti due uomini con il cilindro in testa che hanno aperto la portiera a un uomo dall'aria *importante*. Anche lui aveva un cappello a cilindro. E aveva *un drago di Komodo al guinzaglio*!

«Stai attento» ha sussurrato la signora Welkin. «Quello è Michael Mulligan, il gangster.»

Stavo per chiedere: *"Come lo sa?"*. Poi ho *osservato* meglio quel tizio…

Se gli uomini fossero dinosauri, lui sarebbe un T-Rex: il più grande, il più feroce, *il re*.

Stavo pensando: *Dove l'ho già visto?*, quando lui si è diretto verso il ballo di gruppo.

Ha buttato giù un drink, ha lasciato il guinzaglio a uno dei suoi scagnozzi, e poi *si è unito alle danze*.

Persino il *drago di Komodo* si è divertito. Qualcuno gli aveva messo un cappello in testa.

Noi abbiamo cercato di fargli mangiare la signora Chipstead.

«Non riuscirà mai a inghiottirla» ha detto Angolino.

«Sì, invece» ha detto Nigel Binaisa (il ragazzo più intelligente del nostro anno). «Il *drago di Komodo* può mangiare una capra intera. Spalanca la bocca, poi – per cacciarsi la preda in gola – si *lancia* contro un albero.»

«E se ti lanci contro un albero per buttarlo giù» ha detto Nigel, «SAI che stai cercando di mangiare *un boccone troppo grande.*»

Poi ha finto di essere un drago e ha preso la rincorsa.

Tutti hanno riso. L'intera giornata è stata *esilarante*: senza dubbio il giorno migliore della storia della Saint Bart. *Tutti* erano d'accordo.

Alle cinque del pomeriggio, a festa finita, il professor Bolton ha raccolto il denaro e lo ha portato nell'ufficio della professoressa Tacchinell.

L'ho tenuto d'occhio dalla finestra.

Ci ha impiegato un'eternità. Ha messo tutti i soldi in una delle sue scatole di biscotti, poi l'ha infilata nella cassaforte della scuola.

Alla fine è uscito per *annunciare* quanto avevamo raccolto.

«Abbiamo fatto un *ottimo lavoro* oggi» si è congratulato. «E abbiamo raccolto *cinquemila e trecento* *sterline.*»

Non potevamo *crederci*. Non avevamo raccolto abbastanza nemmeno per comprare la struttura per arrampicarsi.

Eravamo così *delusi* che siamo rimasti immobili a fissare il vuoto, come se fossimo diventati di pietra.

Poi, però, una voce profonda *ha tuonato* alle nostre spalle. Era il *T-Rex*.

«Vorrei mettere io quello che manca» ha detto Michael Mulligan. «Così potrete avere il vostro parco avventura.»

«Perché mai dovrebbe farlo?» ho sussurrato ad Angolino.

«È una mossa pubblicitaria» ha sussurrato lui di rimando. «Così la gente ti crede un tipo perbene, anche se sei un criminale.»

«È *sicuro*?» ha chiesto il professor Bolton.

«In effetti ci ho ripensato» ha sogghignato il signore del crimine. «Moltiplicherò il ricavato per *mille,* che fa cinque *milioni* e trecento*mila*. Potrete comprare persino la vecchia fabbrica, che chiamerete *Centro Michael Mulligan*.»

Il professor Bolton era perplesso. «Ma è serio?» ha chiesto.

«Sono *terribilmente* serio» ha detto Michael Mulligan.

«Tornerò lunedì mattina alle otto, prima dell'inizio delle lezioni, con un grosso assegno. Inviterò anche la televisione. Sarà un Grande Evento Televisivo. Lei porti il denaro. Io porterò

CINQUE MILIONI E TRE.»

Non potevamo *crederci*. Avremmo avuto un parco avventura, una fabbrica piena di scivoli e saremmo andati in TV.

«*SÌÌÌÌÌÌ!!!*»

abbiamo gridato all'unisono, poi siamo corsi via, *elettrizzati*.

CAPITOLO TRE

Il pigiama della Gatta

Oggi è il giorno del Grande Evento Televisivo e non potrei essere più elettrizzato. Per la prima volta andrò a scuola con Cassidy.

So che farà qualcosa di *fantastico*, e tutti l'adoreranno.

Al mattino passo a prenderla a casa. La sua mamma mi fa entrare.

«Ciao, Gatta!» strillo su per le scale.

«Ciao, DURO!» strilla lei di rimando (è così che mi chiama).

La trovo ancora in pigiama. «*Perché* non sei ancora vestita?» chiedo.

«La vita è centodieci volte meglio» dice, «se indossi il pigiama tutto il giorno.»

«E poi sono molto impegnata» continua. «Non sono sicura di avere il *tempo* per la scuola.»

«Ma… non ci sei mai stata» ribatto. «*Devi* venirci.»

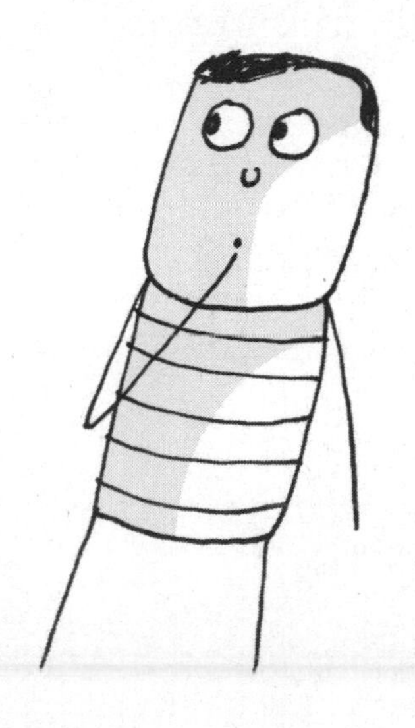

«Potremmo stare a casa e investigare su tuo padre» propone lei.

Mio padre è scomparso quando avevo tre anni. La Gatta mi sta aiutando a scoprire dove è finito.

«*Voglio* scoprire dov'è papà» dico, «ma oggi DOBBIAMO andare a scuola!»

«Benissimo!» fa lei, e schizza fuori dalla porta, in pigiama.

Quando la raggiungo, ha già superato la casa della signora Welkin.

«Ci sono dei veri *idioti* a scuola» la avviso. «Ti prenderanno in giro per il pigiama!»

Si volta verso di me.

«Hai PAURA che ti metta in imbarazzo?» chiede.

«Non ho paura di NULLA!» rispondo.

«Bene» fa lei. «Non avere *mai* paura di vergognarti o non sarai mai un vero detective.»

«Un ottimo esercizio» continua, «è fare qualcosa di SUPER IMBARAZZANTE di proposito.»

Non mi piace il modo in cui lo dice.

«Per esempio potremmo intonare uno YODEL» dice, «*agitando le braccia come le ali di un'anatra.*»

E così la Gatta Callaghan si presenta a scuola, il suo primo giorno, in pigiama, strillando: «YODEL, YODEL, YODEL!», mentre agita le braccia come un'*anatra*. Ho il *terrore* che possano vederla.

Ma non succede, perché sono TUTTI in cortile in attesa del Grande Evento Televisivo.

CAPITOLO QUATTRO
Il Grande Evento Televisivo

Ci sono *centinaia* di persone e tutte fissano un palcoscenico montato davanti alla scuola, con un maxischermo sul fondo e due telecamere puntate.

È uno di quei giorni in cui il cielo è coperto da nuvole grigie, ma di tanto in tanto spuntano i raggi del sole e senti che può succedere *di tutto*.

Il mio fiuto da detective è all'opera. Osservo tutto e tutti, prendo nota di ogni cosa.

Vedo la *Rolls-Royce* di Michael Mulligan. Vedo *Fiona McTavish*. Di solito è in TV a trasmettere notizie, ma ora è sul palco e parla con il professor Meeton.

Vedo la professoressa Birkinstead dentro la scuola; cammina nel corridoio del primo anno. *Che cosa ci fa qui?* Pensavo fosse al corso.
E perché non è *lei* a parlare con Fiona?

Michael Mulligan scende dalla sua Rolls-Royce, tenendo in mano un grosso assegno.

All'improvviso il maxischermo si accende e vedo due presentatori con le facce arancioni, che fanno dei sorrisi davanti alle foto della nostra scuola.

Da un momento all'altro le telecamere ci inquadreranno, e saremo in TV.

Cala il silenzio. Lo schermo mostra Fiona McTavish con un microfono in mano.

È cominciata la diretta.

«Sono alla Saint Bart» dice Fiona, «dove l'intera scuola si è *riunita* per raccogliere fondi per migliorare l'ambiente...»

«Sono qui con il vicepreside… il professor Meeton. Buongiorno.»

«*Buongiorno*» dice il professor Meeton.

«Immagino sia molto orgoglioso degli sforzi fatti dai suoi studenti, giusto?»

«Esatto» risponde Meeton. «Sono stati FANTASTICI!»

«E ora entriamo a scuola per cercare l'altro vicepreside, il professor Bolton» continua Fiona, «che mostrerà a tutti il denaro raccolto.»

Una telecamera la segue. Sullo schermo appare la signora Daniels, la segretaria, nel suo ufficio.

Strilliamo, elettrizzati.

Sullo schermo compare il professor Bolton.

Sorride. Noi urliamo in coro: «*Bo-o-o-o-o-olton!*».

Lui percorre a grandi falcate il corridoio che porta all'ufficio della professoressa Tacchinell. La telecamera lo segue.

Il professore entra nell'ufficio della professoressa Birkinstead e va verso la cassaforte. Deve aggirare un cumulo di attrezzi sportivi e circumnavigare lo scaldabagno. La nostra scuola è piena di robaccia.

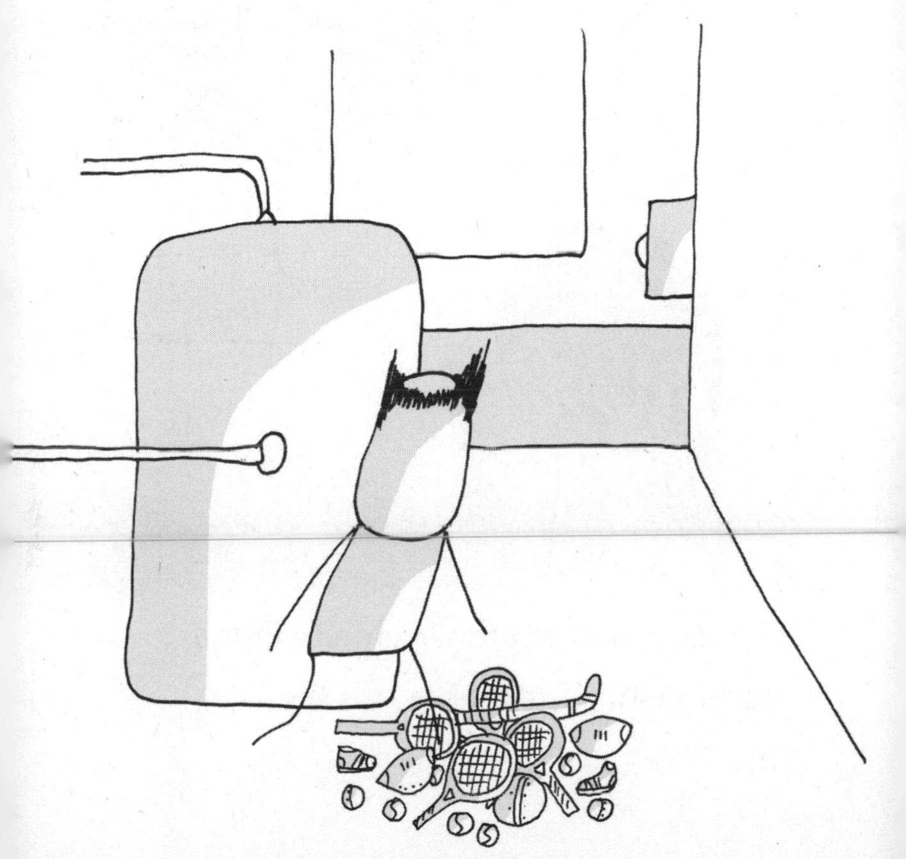

«Ora il professor Bolton aprirà la cassaforte» annuncia Fiona McTavish, «e ci mostrerà il ricavato.»

Bolton apre la cassaforte… e rimane di sasso.

«Professor Bolton?» chiede Fiona McTavish. «Tutto okay?»

Lui si volta verso la telecamera.

«No» dice. «Il denaro è scomparso.»

«*Cosa???*» chiede Fiona McTavish (molto preoccupata). «Vuol dire che c'è stato un furto?»

«Non lo so, ma il denaro non è qui» ripete Bolton.

«A quanto pare, è stato commesso *un crimine*» dice Fiona McTavish, rivolta alla telecamera.

«E, a quanto pare, la Saint Bart sta cercando di voltare pagina, ma c'è ancora molta strada da fare… Linea allo studio!»

Fuori, cala un silenzio attonito.

Non possiamo *crederci*. Dovevamo andare in TV, avere cinque milioni e trecentomila sterline e un parco avventura. E ora ci ritroviamo senza un soldo, e la diretta TV è finita.

All'improvviso si sente il rumore di un tuono, inizia a piovere e tutti *corrono* via.

Cassidy si guarda attorno e osserva. Poi SCATTA in avanti e va a *sbattere* contro una donna con impermeabile e cappello che arriva dal cortile del primo anno.

Penso: *COSA STA FACENDO LA GATTA?*

Ma nessuno si accorge di lei. Ora la pioggia viene giù a CATINELLE. C'è un *fuggi fuggi* generale.

CAPITOLO CINQUE
Arriva il detective

È allora che capisco di essere **davvero un detective**...

Mentre tutti *fuggono* dal luogo del delitto, io *corro* in quella direzione.

Oltrepasso la scrivania della signora Daniels con una capriola acrobatica.

Ma c'è un piccolo problema: la scorsa settimana ho preso una brutta storta alla caviglia, e adesso avverto una *stilettata di dolore. Ahia*.

Ed è allora che capisco che anche *Cassidy* è una detective: mentre io sono ancora a venti metri dalla scena del crimine e mi rotolo a terra…

… lei entra dalla porta antincendio e va dritta nell'ufficio della professoressa Tacchinell.

Un istante dopo vedo il professor Meeton e il professor Bolton, seguiti a loro volta da *Stephen Maysmith,* il grosso detective della polizia, che arriva di gran carriera come un *inspectosauro*.

Poi vedo passare la signora Daniels. Non posso crederci! *Persino* lei arriva prima di me sulla scena del crimine.

Zoppicando, sbircio nell'ufficio della professoressa Tacchinell. Noto un'ammaccatura sulla porta, a circa mezzo metro dal pavimento. Cassidy è in piedi sulla scrivania e scruta nella cassaforte.

«*E tu chi sei?*» chiede il professor Meeton.

«Cassidy Callaghan a rapporto» risponde lei. «Oggi è il mio primo giorno di scuola.»

«Penso che abbiamo TROVATO il colpevole» dice il professor Bolton. Si volta verso Stephen Maysmith. «*Agente, arresti questa ragazzina.*»

L'*inspectosauro* si allunga per acciuffare la Gatta. E a quel punto lei fa qualcosa di *sorprendente*…

Schizza via da Maysmith…

… *balza*

sullo scaldabagno…

… fa un salto,

e poi…

… spicca il *volo* con una *capriola*…

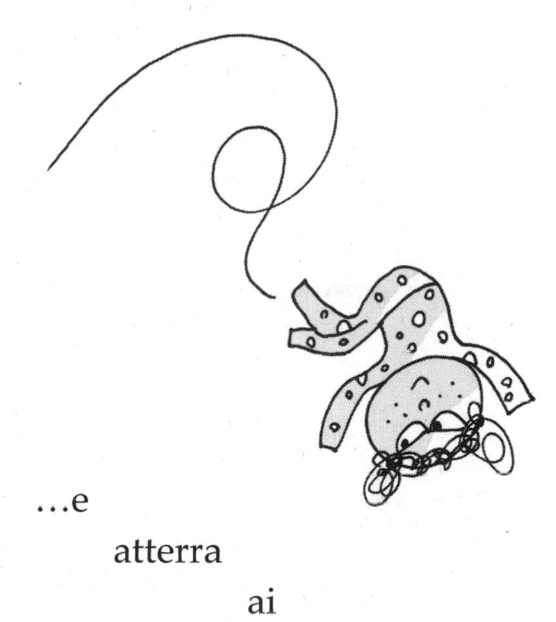

…e

atterra

ai

miei

piedi.

«Signor detective» sussurra, «prendi questo.» E mi mette in mano qualcosa.

Poi dice: «Bene bene, a quanto pare dobbiamo risolvere un *crimine*».
E sorride.

E anche se sono ancora molto *arrabbiato* perché qualcuno *ha rubato il nostro denaro,* ADORO il fatto che la grande COPPIA *contro il crimine* sia tornata!

Penso: *Ecco un altro caso per la Gatta e il Duro!!*

Maysmith invece pensa: *Quella ragazzina è sospetta!* E la *placca* sul pavimento.

«Non sia SCIOCCO!» grido. «Non può essere stata LEI!»

Ma Stephen Maysmith la rimette in piedi e la porta via con sé.

Voglio *partire alla carica* e riprendermi la mia amica.

Ma il professor Bolton mi sbarra la strada.

«La scuola ora è CHIUSA» mi avvisa, «per un'INDAGINE DI POLIZIA. Fila *a casa.*»

CAPITOLO SEI
Indagini

Poco dopo sono a casa, nella mia stanza, e sono ARRABBIATO. Non posso CREDERE che qualcuno abbia commesso un CRIMINE nella mia scuola e non posso credere che la Gatta sia stata ACCUSATA.

Mi sembra di stare su un lago profondo e pieno di mostri, ricoperto da uno strato di ghiaccio sottile, senza la mia compagna di avventure nonché braccio destro.

Vorrei che Cassidy fosse qui.

Poi penso che se fosse qui mi direbbe: "CONTROLLA LE TUE EMOZIONI e BADA SOLO AI FATTI".

E mi rendo conto che prima di essere acciuffata, la Gatta mi ha passato un indizio importante. Lo prendo.

È una chiavetta USB. C'è un pezzo di carta appiccicato sopra con il nastro adesivo, e dice *Sorveglianza*. Vado al computer di mamma.

Infilo la chiavetta e clicco su *play*.

Vedo solo la professoressa Tacchinell che fa avanti e indietro dal suo ufficio, con una tazza di caffè in mano. Mando avanti veloce. Ora vedo il professor Bolton che entra di corsa (con una tazza di tè). Poi le riprese si bloccano. Quando clicco su *play*, esce solo la scritta: *registra*.

Mi sto innervosendo, così registro mentre dico: «*Sono Bolton Man… Ho rubato il denaro e l'ho inzuppato nel mio tè!*».

Mi viene da ridere e decido di comporre un rap. Dico: «*Il malvagio Bolton Man! Il malvagio Bolton Man! Uh hu hu*».

Poi comincio a fare lo stupido.

Capovolgo il computer, e adesso sullo schermo sembro una lucertola appesa al soffitto che dice: «*Il malvagio Bolton Man… Sei proprio TU, Bolton Man! Oh yeah!*».

In quel momento entra mio fratello.

«*Cosa* stai facendo?» chiede.

Non rispondo. Lui fa un balzo in avanti e afferra il computer.

Per fortuna, si perde la mia interpretazione da lucertola che rappa. Vede solo la professoressa Tacchinell che entra nel suo ufficio.

«Queste sono PROVE importanti del furto a scuola!» esclama. «Perché le hai TU?»

«Perché sto cercando di smascherare il ladro.»

«Ma non puoi tenerti PROVE INDIZIARIE che servono alla *polizia*.»

Non rispondo. Inizio a sentirmi in colpa.

«Spero che tu non le abbia *inquinate*!» dice.

Non rispondo.

Nessuno riesce a farmi sentire in colpa come mio fratello.

Sto già strisciando in una grande PALUDE DELLA VERGOGNA e i *MOSTRI DEL SENSO DI COLPA minacciano di divorarmi.*

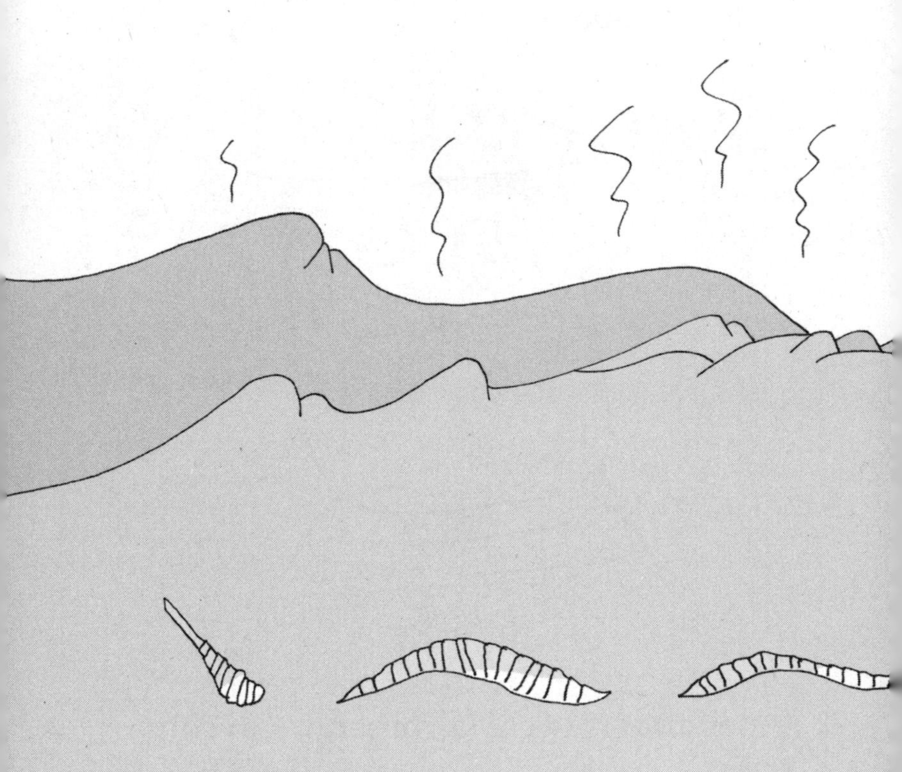

Ora lo *detesto*.

«Potresti finire in *prigione* per aver interferito con un'indagine di polizia» dice. «Dovresti rimettere subito quelle prove al loro posto...»

Mi rivolge un ghigno *malvagio*.

«A meno che tu non abbia troppa *paura* per farlo» aggiunge.

«NON ho paura!» dichiaro. «TU ce l'hai!»

«IO no!» ribatte lui. «Sarò *felice* di accompagnarti.»

Sorrido.

Capisco che è così *invidioso* del fatto che *sono un detective,* che vuole venire con me. E capisco anche che la presenza di quell'idiota di mio fratello NON È come avere la Gatta al mio fianco.
Ma è sempre meglio di niente.

«Come ci arriviamo?» chiedo.

«*Suppongo*» dice, «che dovremo prendere le bici.»

Dovevo immaginarlo. Mio fratello è FISSATO con la sua nuova bici. Ha anche una tuta da ciclista. Corre a indossarla.

Adesso assomiglia a un grosso ragno con un fungo in testa e i pantaloncini attillati.

Esco.

E vedo Angolino. Anche lui sta tirando fuori la bici. Mi vede.

«Rory!» strilla.

«SONO MOLTO PREOCCUPATO PER IL CUCCIOLO DI MIKE TYSON!»

Angolino parla *sempre* del suo criceto preferito. Lo chiama Mike Tyson, anche se è *chiaro* che è una femmina (visto che ha appena partorito).

Angolino tira fuori dalla tasca Mike Tyson e il suo cucciolo.

«Non posso fermarmi adesso!» dico. «Devo andare a scuola!»

«Perché?»

«Cose da detective» rispondo. «Cassidy è stata incriminata per il denaro rubato. Se non scopro il vero ladro, non avremo mai quel parco avventura, e lei *potrebbe finire in prigione!*»

Angolino sgrana gli occhi dietro le lenti spesse.

«Vengo con te!» dice. «Prendo la mia lancia.»

Angolino ha una lancia da cui non si separa mai. Corre a prenderla.

Non credo che dovrei indagare con Angolino e Mike Tyson e il suo cucciolo.

Non mi sembra professionale.

Proprio mentre Angolino è di ritorno con la lancia, mio fratello esce di casa.

«Cosa aspettiamo?» dice, spavaldo. «È ora di *un'avventura in bicicletta*!» Monta in sella e pedala via.

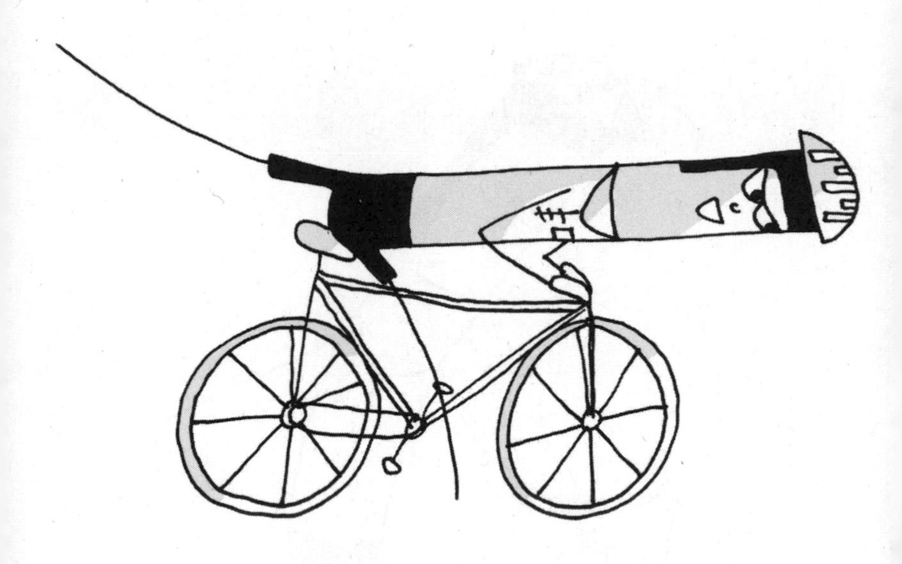

Angolino e io lo seguiamo.

CAPITOLO SETTE
Avventura in bicicletta

Anche se sono ancora molto PREOCCUPATO per la Gatta, e sono molto ARRABBIATO con il ladro, non posso fare a meno di sentirmi FELICE in sella alla mia bici. È impossibile essere tristi su una bicicletta.

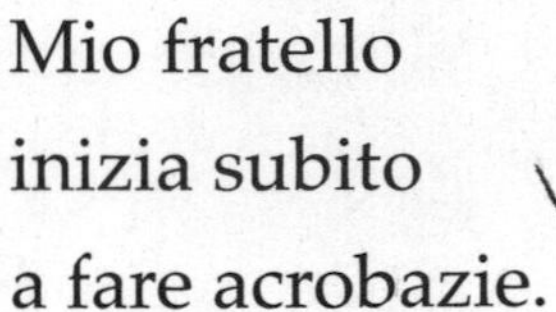

Mio fratello
inizia subito
a fare acrobazie.

Le faccio anche io.

Le facciamo tutti.

Poi un piccione fa la cacca proprio in faccia a Seamus. Rido.

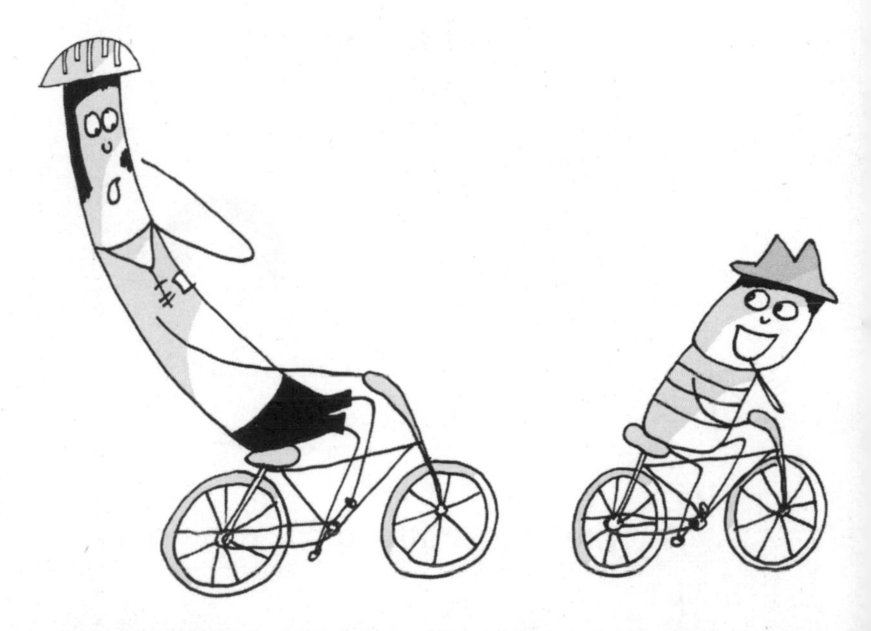

E vado a sbattere contro il marciapiede. E *quasi* a sbattere contro una persona. È Stephen Maysmith, il detective della polizia.

Non posso crederci. Sta passeggiando con Fiona McTavish, e non l'ho mai visto pavoneggiarsi così.

«Agente Maysmith» dico. «Che cosa fa?»

«Tra poco terrò una conferenza stampa» dichiara, «a nome della polizia!»

Poi noto un'altra cosa, ancor più sorprendente.

Il *drago di Komodo* va avanti e indietro nel cortile dei ragazzi del primo anno. È con i due scagnozzi di Michael Mulligan.

Che cosa stanno facendo?

«Come ci introduciamo nella scuola?» chiedo a mio fratello.

«Ci vuole un diversivo» risponde lui.

«Tu ENTRA» mi dice Angolino. «Io creerò il DIVERSIVO! Ecco... PRENDI Mike Tyson e il suo cucciolo.»

Mi passa i due criceti e io li infilo in tasca.

«Cosa farai?» chiedo.

«STA' A VEDERE» dice Angolino.

Appoggia a terra la bici. Poi afferra la lancia e CORRE verso il drago, *ruggendo*.

Nel frattempo...

… io CORRO dentro la scuola.

La signora Daniels non c'è. Dieci secondi dopo il diversivo di Angolino, spalanco la porta dell'ufficio della professoressa Tacchinell.

Due secondi dopo, rimetto la chiavetta USB accanto al suo computer. *Fatto!*

Osservo le pareti dell'ufficio. Vedo diverse foto della professoressa Tacchinell con sua sorella Lumacona.

Noto che si somigliano molto. Poi accade qualcosa di davvero TERRIBILE…

Arriva il professor Bolton.

«*Cosa ci fai tu qui?*» chiede, furibondo.

Mi viene in mente una cosa che il professor Meeton mi ha insegnato a ping pong: *la miglior difesa è l'attacco.*

Punzecchio Bolton.

«Sono qui» gli dico, «perché la mia amica è stata INCRIMINATA per il furto, ma solo LEI era in possesso della chiave della cassaforte!»

«*Mi stai accusando?*» sbraita. «Darei la mia vita per la scuola!»

Penso: *Sì, lo farebbe*!

«Probabilmente ha dato la chiave a qualcuno!» dico.

Ho un'idea.

«Chi era?» chiedo. «Era *Michael Mulligan*? Le ha allungato una *mazzetta*?»

«Come osi?!» esclama. «Non ho dato la chiave a nessuno!»

«A nessuno, eh?»

Be', l'ho data alla professoressa Birkinstead stamattina, ma *non l'ho mai persa di vista*! E siccome ti ho già detto che la scuola è CHIUSA, adesso sei in un MARE DI GUAI!»

«Io sono un detective!» dichiaro orgogliosamente. «Non ho paura dei GUAI!»

E parto alla carica verso i guai come un *triceratopo*.

CAPITOLO OTTO
La pista

Sessanta secondi dopo, sono di nuovo fuori accanto alle bici. Di Angolino nemmeno l'ombra. Mio fratello invece è lì, e si dà delle arie.

«Be'?» dico. «Io sono entrato e ho rimesso a posto la chiavetta! *Tu* che hai fatto?»

«Ho seguito una PISTA!» risponde.

«Cosa?»

«Ho tenuto d'occhio quegli uomini» dice, indicandoli.

Poco lontano ci sono gli scagnozzi di Michael Mulligan. Stanno facendo salire il *drago di Komodo* su un furgoncino.

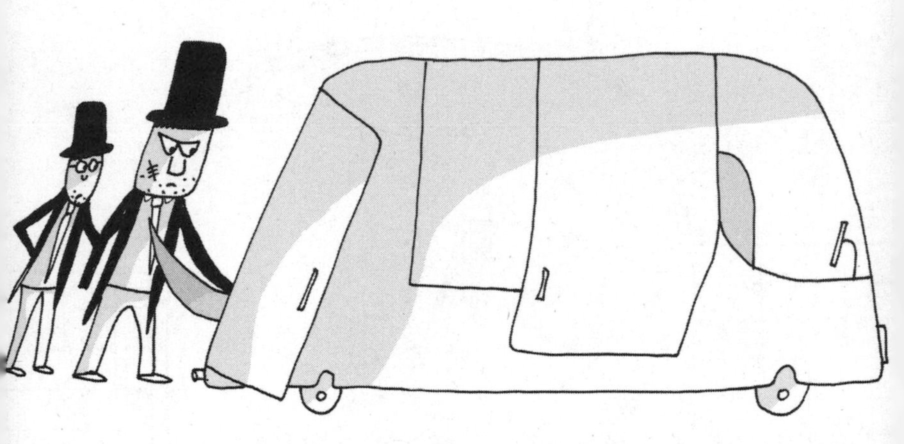

«Quello a sinistra si chiama Guy "Occhi" Murphy» spiega mio fratello. «L'altro si chiama Derek "Testa Ammaccata" O'Malley!»

«Come lo sai?» chiedo.

Mi guarda tutto tronfio.

«Me lo ha detto papà» risponde.

«Cosa?» dico. «Come faceva papà a conoscere tipi del genere?»

Muoio dalla voglia di saperne di più.

In quel momento il furgoncino ci supera. I due tizi a bordo ci fissano minacciosi.

«*Propongo* di seguirli!» dice mio fratello. «O hai *paura*?»

«*Io* non ho paura!» dichiaro. «E tu?»

«No, affatto, amico mio!» risponde lui. «Io non ho MAI paura!»

Poi, sollevando una gamba (come un cane che fa pipì), monta in sella.

E mentre pedala – per *dimostrare che non ha paura* – mio fratello fa le acrobazie.

Così le faccio anche io.

Le facciamo entrambi. I due tizi non sembrano fare caso a noi.

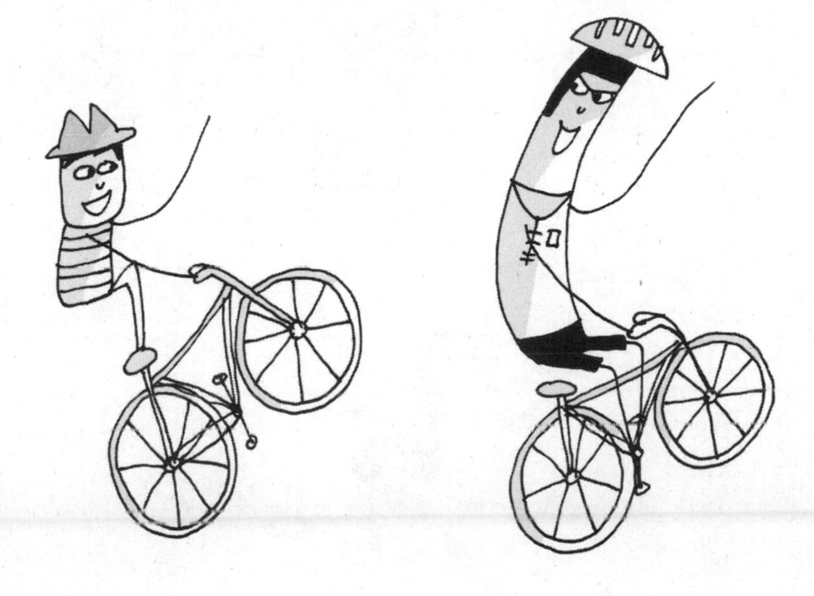

Immagino che, se sei un criminale, ti aspetti di essere inseguito da una volante della polizia…

… o da altri criminali, a cavallo di motociclette con motori a reazione e dotati di droni speciali con ali di pipistrello che zoomano dentro l'auto per spiarti.

Di certo non ti aspetti di essere inseguito da due ragazzini in bicicletta…

… soprattutto se fanno le acrobazie (e uno dei due ha ancora un po' di cacca di piccione sulla faccia). Non possiamo farci niente: andare in bici è *troppo divertente*.

Poi vedo una mongolfiera sopra il Ponte Michael Mulligan.

Siamo davvero di buonumore.

Quando raggiungiamo il centro storico, *dondolando* sulle ruote, all'improvviso spunta il sole.

Nello stesso momento, due tizi calvi escono dalla biblioteca e noi li salutiamo agitando le braccia.

«Se quei tizi fossero dinosauri» chiedo a mio fratello, «a quale specie apparterrebbero?»

«*Pachycephalosauri*» risponde lui. «Quelli con il cranio spesso e rinforzato con cui prendevano a *testate* gli altri dinosauri.»

«Stai dicendo che i bibliotecari potrebbero prendere a testate la gente con i loro crani super resistenti?»

«No, non lo farebbero *mai*» ride lui, «a meno che tu non scarabocchi un libro.»

Rido di gusto.

È in gamba, mio fratello (per essere un idiota).

«Cosa si ottiene» chiedo, «dall'incrocio tra un dinosauro e un maiale?»

«Non ne ho idea!» dice lui.

«*Jurassic Porc.*»

Mio fratello ride. E io con lui.

Quando imbocchiamo la strada che porta sulle colline, da dove si vede il mare, penso: *È forse il più bel giro in bicicletta che abbia mai fatto.*

Poi, però, arriviamo alla villa di Michael Mulligan e all'improvviso
HO PAURA.

CAPITOLO NOVE
Nella tana del T-Rex

È un gigantesco *castello* spaventoso. È circondato da un fossato, e ha un ponte levatoio, e un enorme cancello che rimane aperto anche dopo che il furgoncino è entrato.

È più o meno così.

Lasciamo le bici tra i cespugli.

Sbirciamo all'interno.

E *vediamo* Michael Mulligan.

È di spalle, seduto vicino a una piscina con la fontana a forma di pistola.

I suoi scagnozzi gli fanno rapporto, ma è *davvero frustrante,* perché non riusciamo a *sentire* una parola.

Guardo mio fratello.

«Dobbiamo avvicinarci di nascosto» sussurro. «O hai paura?»

«*Io* non ho paura!» risponde lui sussurrando (pianissimo). «E *tu*?»

«No!» dico.

«E allora avviciniamoci» bisbiglia.

Strisciamo come lucertole.

E in quel momento ci rendiamo conto che c'è un *vero* lucertolone in libertà… Il *DRAGO DI KOMODO*!

Mio fratello si nasconde dietro un barbecue. Io mi acquatto dietro un sacco di carbonella.

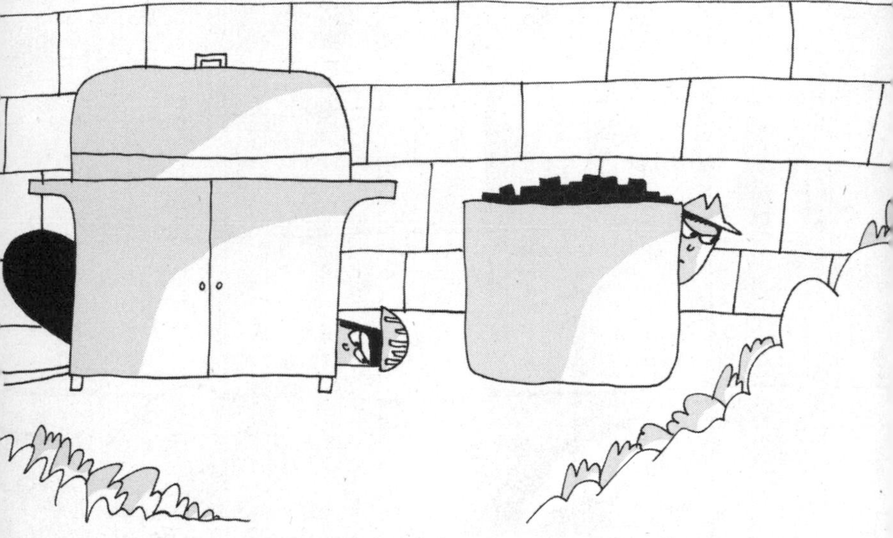

Da qui posso *sentire* Guy "Occhi" Murphy mentre parla con Mulligan…

«Crediamo che abbia mangiato qualcosa di strano» dice Occhi.

«Basta che non si sia pappato un insegnante» replica Mulligan.

Di che cosa parlano? Mi sporgo in avanti, per sentire *meglio*. Ma poi succede qualcosa di TERRIBILE.

Il cucciolo di Mike Tyson scappa dalla mia tasca. Dà un'annusatina in giro.

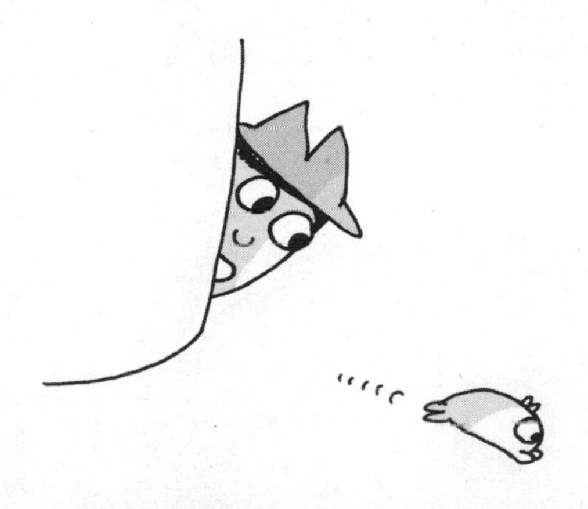

E *qualcosa* lo nota.

È il *drago di Komodo*. Fa saettare la lingua. È *spaventoso*.

Mi allungo verso il criceto.
E rovescio il sacco di carbonella.

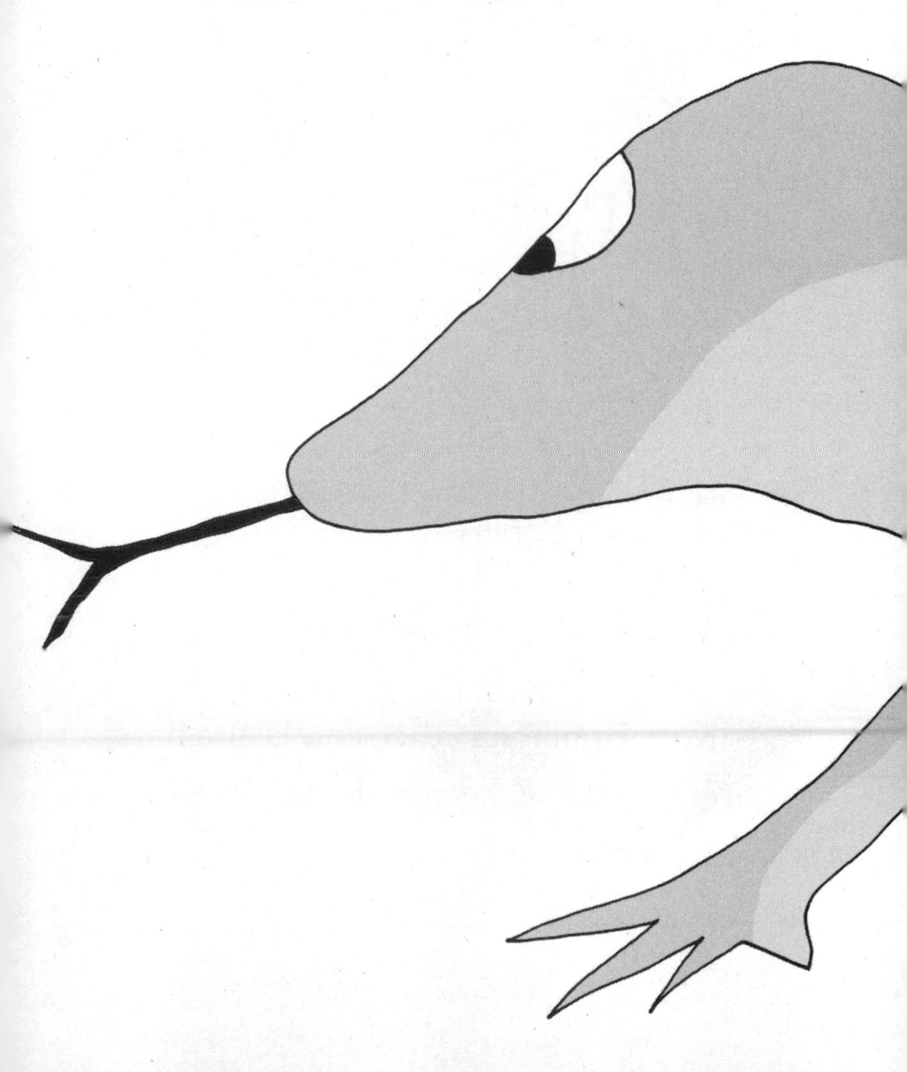

Mulligan si gira lentamente verso di me.

«Rory Branagan» dice con la sua bassa voce tonante. «Che gentile da parte tua venire a trovarmi!»

«Come fa a conoscermi?» chiedo (squittendo).

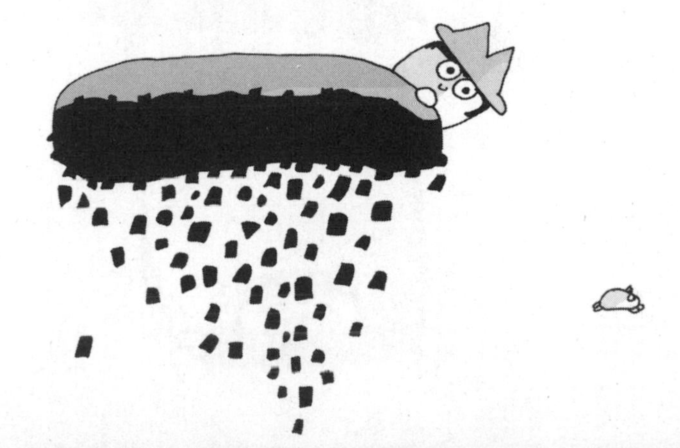

Mulligan mi fissa.

«Sono cose che non ti riguardano» dice. «*Non* sei tenuto a saperle.»

All'improvviso il *drago di Komodo* frusta l'aria con la lingua nella mia direzione, e ho così paura che potrei morire.

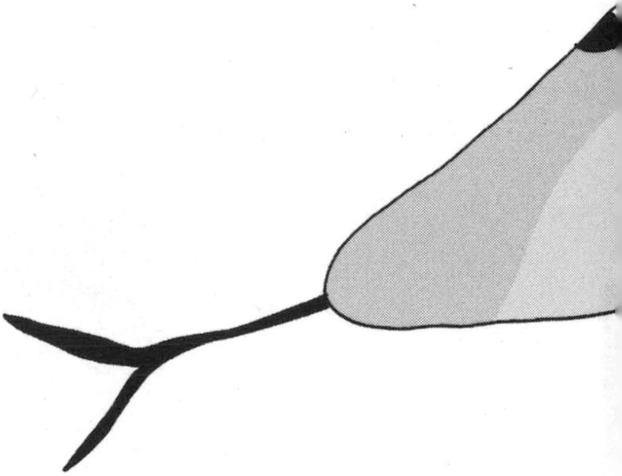

«Signor Mulligan» squittisco, «può richiamare il drago?»

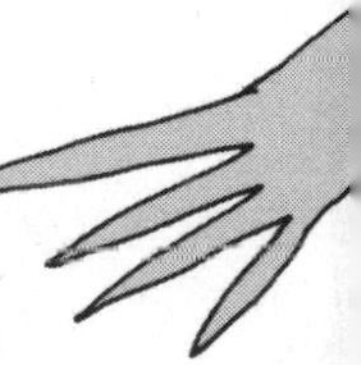

«Non mi preoccuperei di lui» dice Mulligan. «È stato via per un po' e gli abbiamo appena dato l'intera razione di cibo del weekend.»

Penso: *Che cosa strana da dire!*

Anche se sono terrorizzato, penso: *Devo comportarmi da detective.*

«Sta dicendo che il drago è stato via per l'intero weekend?» chiedo.

«Lo abbiamo lasciato a scuola» dice Mulligan.

«Cosa?!» esclamo. «Avete lasciato il drago a scuola?!»

«Non l'abbiamo proprio *lasciato*» dice Mulligan. «Lo abbiamo, tipo… *dimenticato*. Ha passato il weekend accanto allo scaldabagno, per riscaldarsi.»

«Sta dicendo che questo drago ha passato il weekend *nell'ufficio della professoressa Birkinstead*?» chiedo.

«Esatto» dice Mulligan, con un sorriso misterioso. «In teoria avrebbe dovuto impedire ai ladri di rubare il denaro.»

Osservandolo, penso: *Non mi importa se è un uomo potente. Arriverò in fondo alla faccenda!*

Sono un detective, penso. *Non mi importa se devo affrontare il re dei T-Rex.*

Se nasconde un SEGRETO,
io lo scoprirò.

«Ha rubato LEI il denaro?» chiedo.

Mulligan mi scruta come se stesse decidendo quale parte di me mangiare per prima.

«Ho promesso alla scuola di mettere DI TASCA MIA i soldi che MANCAVANO all'obiettivo» dice. «Perciò perché avrei dovuto rubarli?»

«Perché così non avrebbe dovuto saldare il debito» dico. «E perché lei è un criminale!»

Ops, forse questo non dovevo dirlo…

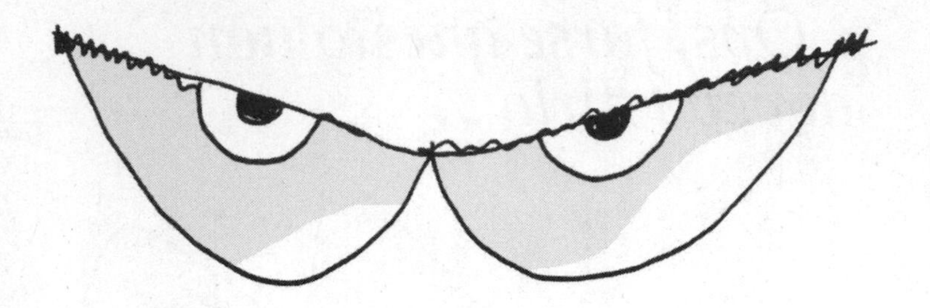

Guardo dritto negli occhi da *T-Rex* di Michael Mulligan.

Oh mio Dio, sono TERRORIZZATO!

Ma...

All'improvviso...

… lui scoppia a ridere!

«Io SONO il CRIMINALE più pericoloso di tutti!» dice. «Ma rubare il denaro raccolto dai bambini per la loro scuola… chiunque l'abbia fatto è un FARABUTTO, e quando lo scoprirò, gli strapperò le budella e le userò come sciarpa!»

All'improvviso non ride più.

«E se non te ne vai subito da casa mia, *farò lo stesso con te.*»

Non oso rispondere.

«E vale anche per tuo fratello!» aggiunge.

«Cosa vuol dire?» azzardo.

«Vedo le sue chiappe ossute spuntare dal barbecue» risponde. «E sarà meglio che le sposti,

ORAAAA!»

E Michael Mulligan RUGGISCE.

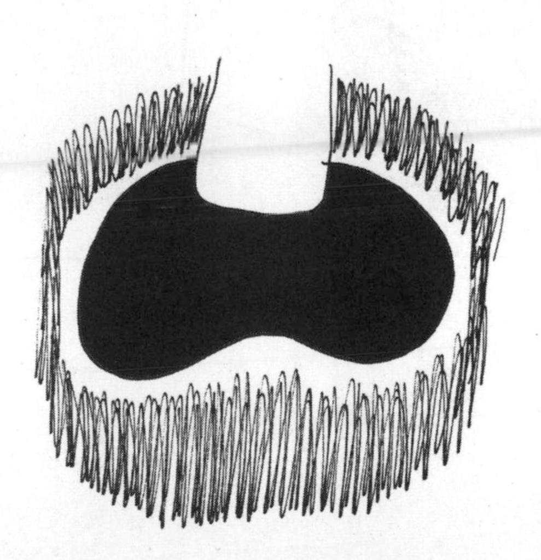

Terrorizzato, raccolgo il criceto e fuggo via. Anche mio fratello se la dà a gambe. Oltrepassiamo di corsa il cancello e il fossato.

CAPITOLO DIECI
Un nuovo livello di paura

All'improvviso mio fratello smette di correre.

«Non ho avuto per niente paura!» dichiara.

«Nemmeno io!» dico. «Non ho mai pensato che ci avrebbe fatto del male!»

«*E non penso che Mulligan abbia rubato il denaro!*» continua mio fratello.

«Ma il professor Bolton ha detto che l'unica persona ad avere le chiavi era la professoressa Birkinstead!»

Mio fratello fa la sua faccia da *detective*.

«Allora» dice, «dobbiamo *intrufolarci* a casa della professoressa Birkinstead.»

L'idea non mi piace per niente. Al solo pensiero mi sento svenire. Il mondo intorno a me **sbiadisce.**

«Come fai a sapere dove abita?» chiedo.

«Ricordi quando siamo andati a catechismo dal signor Birkinstead?» chiede mio fratello.

«Chi?» dico. «Noè Grossenarici?»

«ESATTO!» esclama. «Proprio lui!»

«E cosa c'entra con la professoressa Birkinstead?»

«Si chiama Birkinstead anche lui» dice mio fratello. «È quello che noi detective chiamiamo **INDIZIO!**»

Poi afferra la sua bici e monta in sella alzando ancora di più la gamba.

E pedala via.

Siamo entrambi SOLLEVATI per essere sfuggiti a Mulligan tutti interi. Ma io sono ancora *terrorizzato* all'idea di entrare in casa della professoressa Tacchinell.

Mentre pedaliamo sulla strada in collina, vorrei che un grosso *pterosauro* scendesse in picchiata e ci portasse via, così saremmo in salvo.

Mentre attraversiamo veloci la piazza di fronte alla biblioteca, penso: *Vorrei che fossero pachycephalosauri. Vorrei che ci CARICASSERO con i loro crani spessi, così saremmo costretti a EVITARLI, e poi a DIFENDERCI usando le bici come armi.*

Penso: *Vorrei che accadesse QUALUNQUE cosa, perché NULLA può essere peggio che INTRUFOLARSI IN CASA DELLA PRESIDE.*

Purtroppo, però, arriviamo alla casa della professoressa Birkinstead e di Noè Grossenarici. (Lo abbiamo chiamato così perché era FISSATO con Noè e aveva le narici più larghe che si siano mai viste.)

Abbandoniamo le bici.

Cosa darei per non entrare! Sono

SUPER-NERVOSO.

Mio fratello invece osserva l'entrata con fare spavaldo.

«Lascia parlare me!» dichiara.

Rispondo: «Grazie».

«La finestra al primo piano è aperta» dice. «Devi arrampicarti sulla grondaia.»

Non mi sembra PER NIENTE una buona idea.

«Cosa?!» esclamo. «*Perché dovrei arrampicarmi?*»

«Be', se *io* parlo» fa lui, «*tu* devi intrufolarti.»

Mi guarda. Lo guardo. Ora lo **ODIO** davvero.

Poi osservo la finestra. Mi sembra più *alta* ogni secondo che passa.

«Hai paura?» chiede lui.
«No!» rispondo.

«Bene» dice mio fratello. «Ora busserò. Tu nasconditi dietro il bidone.»

Mentre si avvicina alla porta, sento crescere la paura.

Poi, però, penso: *DEVO scoprire dov'è finito il denaro perché DEVO salvare la Gatta.* Guardo la finestra, che mi sembra ancora più ALTA.

Nella mia testa la Gatta è lassù e aspetta che io venga a salvarla.

Poi penso: *Anche se quella finestra fosse più alta dell'Empire State Building…*

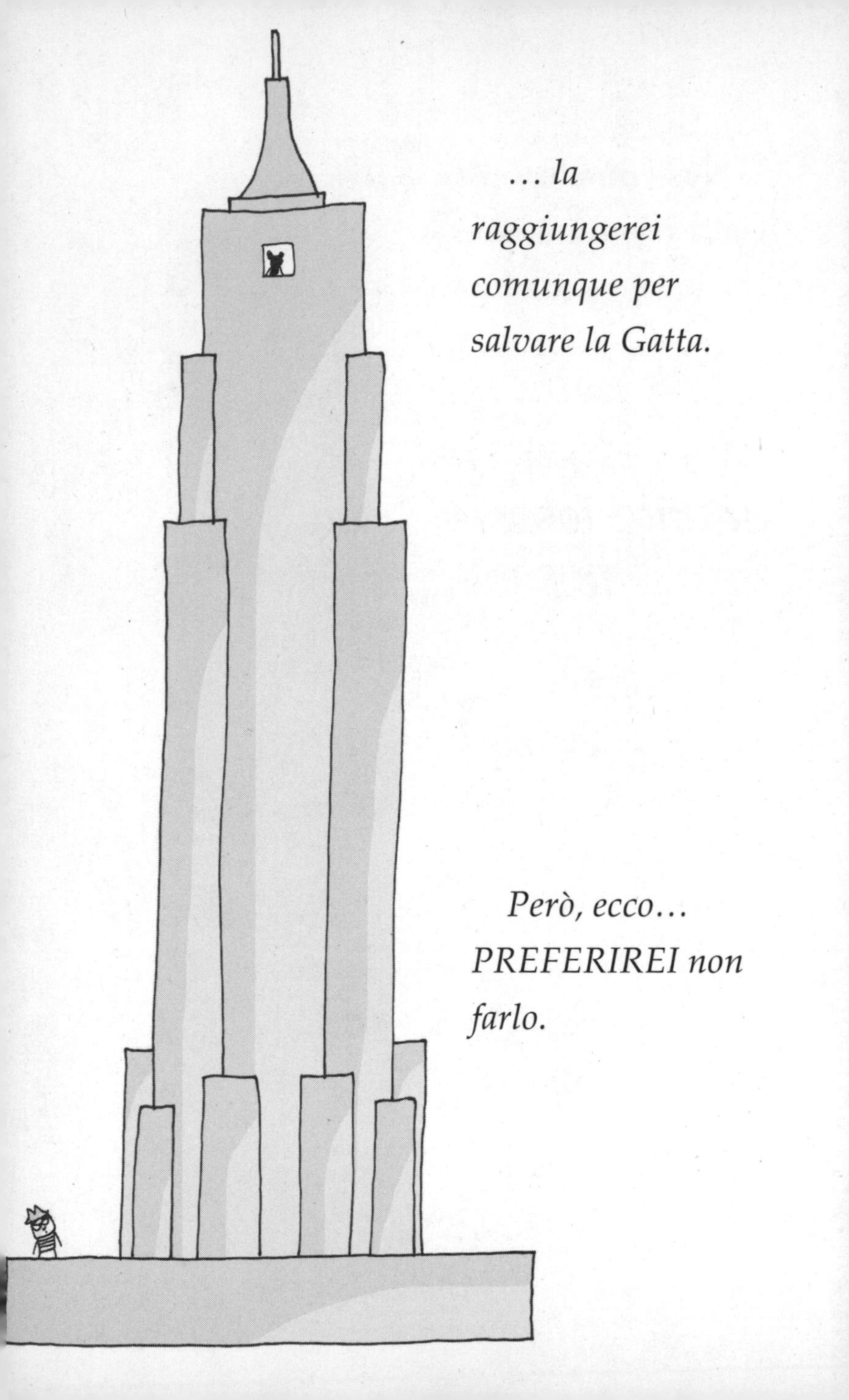

… la raggiungerei comunque per salvare la Gatta.

Però, ecco… PREFERIREI non farlo.

E mentre lo penso, mio fratello *bussa deciso* alla porta.

Noè viene ad aprire.

(Oh mamma mia, avevo dimenticato quanto fossero larghe le sue narici!)

«Sì?» fa lui.

«Signor Birkinstead» dice mio fratello, «vorrei seguire altre lezioni di catechismo.»

«Perché?»

Mio fratello lo guarda intensamente.

«*Ho sentito la chiamata*» dice.

(Bel colpo!)

Noè lo fissa a lungo da sopra le narici. *(Mamma mia, sono enormi! Non mi sorprenderebbe trovarci una famiglia di passeri, intenta a banchettare con i vermi!)*

«Entra» dice.

La porta si chiude e io, pregando di non cadere, comincio ad arrampicarmi.

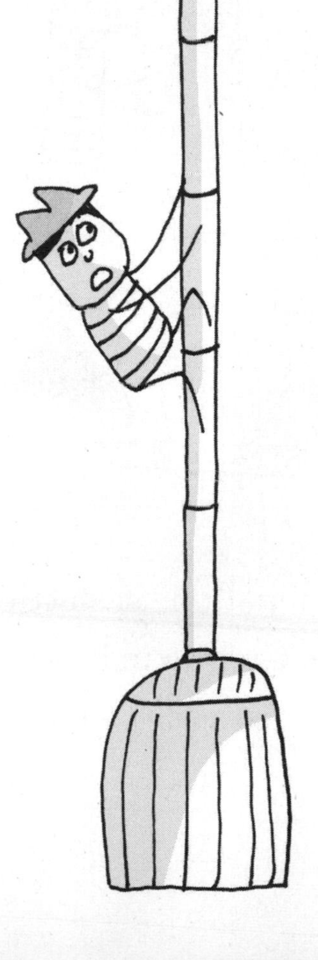

Pochi secondi dopo sono sul cornicione.

Un mattone si stacca e si schianta a terra. Guardo in basso: non sono mai stato così *spaventato* in vita mia.

Con le mani che tremano, mi allungo verso la finestra. Ora sono *terrorizzato* che qualcuno mi veda.

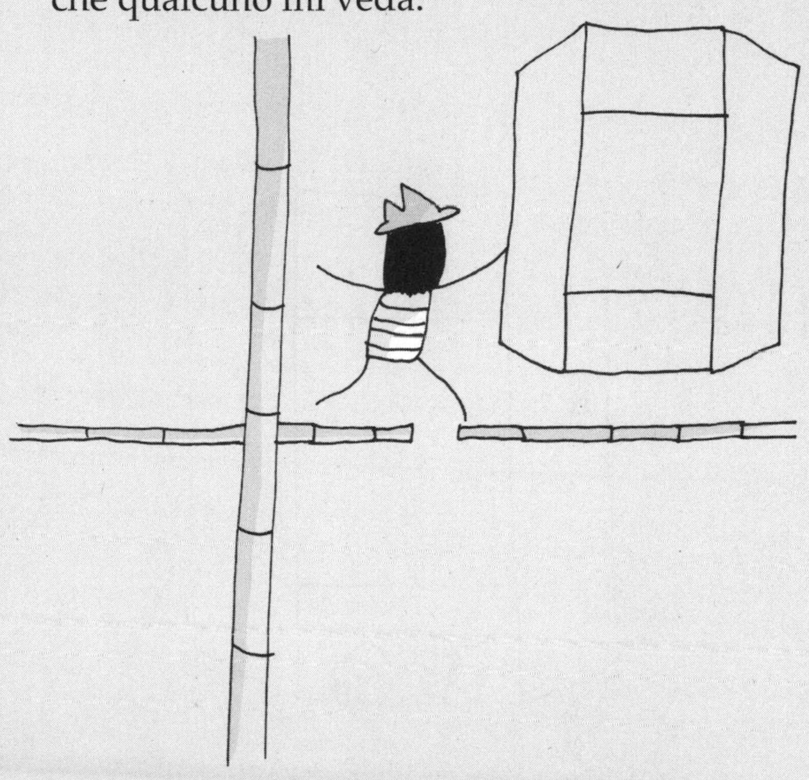

Tremando, faccio un piccolo salto.

Poi

mi

tuffo

dentro . . .

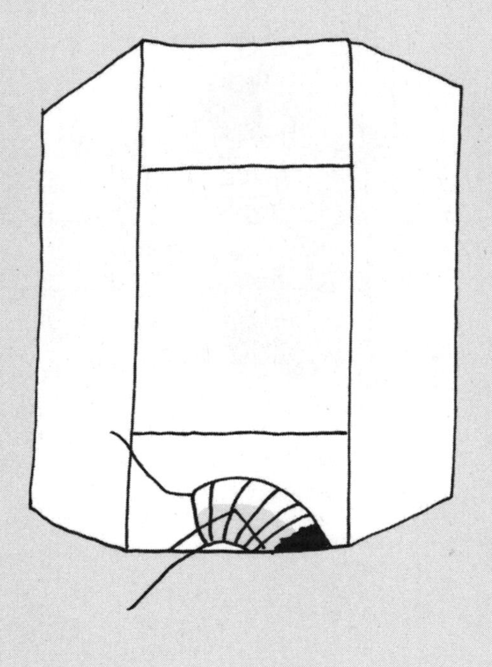

CAPITOLO UNDICI
Il segreto della Tacchinell

Quando alzo lo sguardo capisco di essere atterrato nella camera da letto della professoressa Tacchinell. Puzza di preside. Accanto al letto c'è la sua trousse con i trucchi.

In giro per la stanza sono appesi i suoi abiti, come tante presidi svolazzanti, ma di lei non c'è traccia.

Cerco di immaginare *dove* potrebbe aver nascosto il denaro.

Un'anta dell'armadio è semiaperta. Quando mi avvicino, il pavimento SCRICCHIOLA.

All'interno, sul fondo, ci sono le sue scarpe. *Se vuoi conoscere davvero qualcuno,* dice sempre la signora Welkin, *cammina per un chilometro nelle sue scarpe.* (Penso: *Dovrei indossare le scarpe della Tacchinell?*)

Poi vedo la sua testa.

BALZO

INDIETRO.

Apro ancora un po' l'anta e...

... vedo che è solo una stupida testa di manichino *con una parrucca*. Penso: *Non sapevo che portasse la parrucca!*

Penso: *Dovrei mettere le sue scarpe, la sua parrucca e uno dei suoi vestiti? Così, se Noè Grossenarici dovesse entrare, mi scambierebbe per la moglie?* Per un attimo, prendo davvero in CONSIDERAZIONE l'idea.

Poi penso: *In effetti… meglio di no.*

Solo *immaginare* la professoressa Tacchinell mi fa riflettere: *Io l'ho VISTA davvero a scuola, questa mattina...*

E l'ho VISTA nel filmato della telecamera di sorveglianza...

HA RUBATO lei IL DENARO?

E, se sì, DOVE *LO HA NASCOSTO?*

Su uno scaffale alto, noto un sacco di raccoglitori.

Un'etichetta dice: *Classe del 2015*. Era la mia classe. Tiro giù il raccoglitore.

Trovo una foto.

Ci siamo io e Angolino vestiti da Batman e Robin.

Scorro le pagine e un'altra foto cattura la mia attenzione.

È papà!

Leggo:

Se Padder Branagan dovesse avvicinarsi al figlio Rory siete pregati di avvisare immediatamente la polizia.
La sua presenza può rappresentare un pericolo per Rory.
E per l'intera scuola…

Penso… *PERCHÉ mio padre dovrebbe rappresentare un PERICOLO per l'intera scuola?*

Penso… *Sarebbe molto PEGGIO se non riuscissi a ritrovare il denaro! Non ripareremmo NULLA e la scuola cadrebbe a PEZZI.*

Rimetto a posto il raccoglitore. Devo spingerlo sullo scaffale.

Ed è così che faccio cadere qualcosa.

È una *scatola di latta rosa.*

Mi COLPISCE sulla testa.

E insieme alla scatola…

… pensieri grandi come *pterosauri*
scendono in picchiata su di me.
Penso…

È la scatola di latta rubata!

E significa che…

… LA PRESIDE È UNA LADRA!

Poi penso:

Il problema è che mi sono reso conto di aver fatto un gran rumore, e ho strillato: «Ahia!».

Grossenarici mi avrà sentito? Tendo l'orecchio.

Chiudo l'anta dell'armadio e mi nascondo tra le giacche della professoressa Birkinstead.

Oh no, penso, *ti prego ti prego ti prego, fa' che Noè non mi scopra!*

All'improvviso il signor Birkinstead SPALANCA l'anta e io mi trovo a fissare le sue narici.

Accidenti, se sono grandi!

(Potrebbero ospitare una famiglia di cavernicoli che si diletta con le pitture rupestri!)

«*Che cosa ci fai lì dentro?*» ringhia. Vede la scatola, e subito fa per PRENDERLA.

E *io* entro in AZIONE.

CAPITOLO DODICI
Azione, rapida e letale

Con la scatola, do uno spintone sullo stomaco a Grossenarici.

«Ridammela» grida mentre lo schivo e corro fuori dall'armadio. «È nostra!»

«Oh, allora lo AMMETTE!» ringhio.

«*Ammette* che sua moglie ha RUBATO il denaro della scuola? *È una LADRA!*»

«RIDAMMI LA SCATOLA!» ruggisce lui.

Tenta *un affondo*.

Ma io *saltello* attorno al letto. Anche lui saltella. Saltelliamo qua e là come due ballerini.

Poi BALZA di nuovo verso di me. Ma è troppo lento.

Io salto SOPRA il letto, e poi *rimbalzo* giù dall'altra parte. Corro verso la porta…

… ma in quel momento irrompe qualcuno. È la professoressa Birkinstead.

Pare che tacchini e polli siano gli animali più vicini ai dinosauri. *Decisamente!* La professoressa Tacchinell mi lancia un'occhiata degna di un *velociraptor*.

«*Rory Branagan!*» strilla. «Che cosa ci *fai* in casa mia?»

Ma io NON HO PAURA DI LEI!

«*Professoressa Birkinstead*» ribatto, «che cosa CAVOLO ci fa LEI con il denaro rubato a scuola?»

«Come avrei potuto rubarlo?» si difende. «Ero al corso!»

La guardo, e per un attimo quasi le credo.

«Sono appena tornata!» strilla.

«Sta mentendo, lo so» dico. «Il denaro è *qui*!»

«*Non* è il denaro!» dice lei.

«*Sì* che lo è!» insisto.

E apro la scatola.

È piena di mutande della professoressa Birkinstead.

È qualcosa che NESSUNO DOVREBBE MAI VEDERE!

Sono così in *imbarazzo.*

«Ma io... io pensavo che questa fosse la scatola con il denaro» dico.

«Tutti possiedono una scatola come quella!» dice lei. «A chi non piacciono quei biscotti?»

Sto per andarmene quando mi viene un lampo di genio da *vero detective*.

«Ma» rifletto, «se lei è appena tornata dal corso, allora… CHI CAVOLO ERA A SCUOLA STAMATTINA? E A CHI *HA DATO LA CHIAVE IL PROFESSOR BOLTON?*»

«Cosa?» fa lei. Mi guarda *confusa*.

E, restituendole lo sguardo, capisco come si sente.

Se lei non era a scuola stamattina, penso, *allora* CHI CAVOLO C'ERA NEL FILMATO *della* TELECAMERA DI SORVEGLIANZA? Per un istante, mentre cerco una risposta, la mia mente diventa bianca come un enorme muro di ghiaccio.

E l'istante dopo...

… IMPORTANTI RIVELAZIONI
arrivano SALTELLANDO come pinguini.

E penso… ***HO RISOLTO IL CASO!!!***

(E mio fratello no!)

Schizzo fuori dalla stanza.

Sto per uscire dalla casa quando
mi ricordo di lui.

«Vieni?» grido.
Mio fratello spunta dalla cucina.

«Cosa stavi *facendo*?» chiedo.

«Mangiavo biscotti» risponde, «e leggevo il Libro di Giona.»

«Di che parla?»

«Di un tizio di nome Giona che viene inghiottito da una balena. Ma alla fine si salva.»

Chiedo: «E alla balena cosa succede?».

«Non lo so» risponde lui.

«Forse si nasconde nel naso di Noè!» ipotizzo.

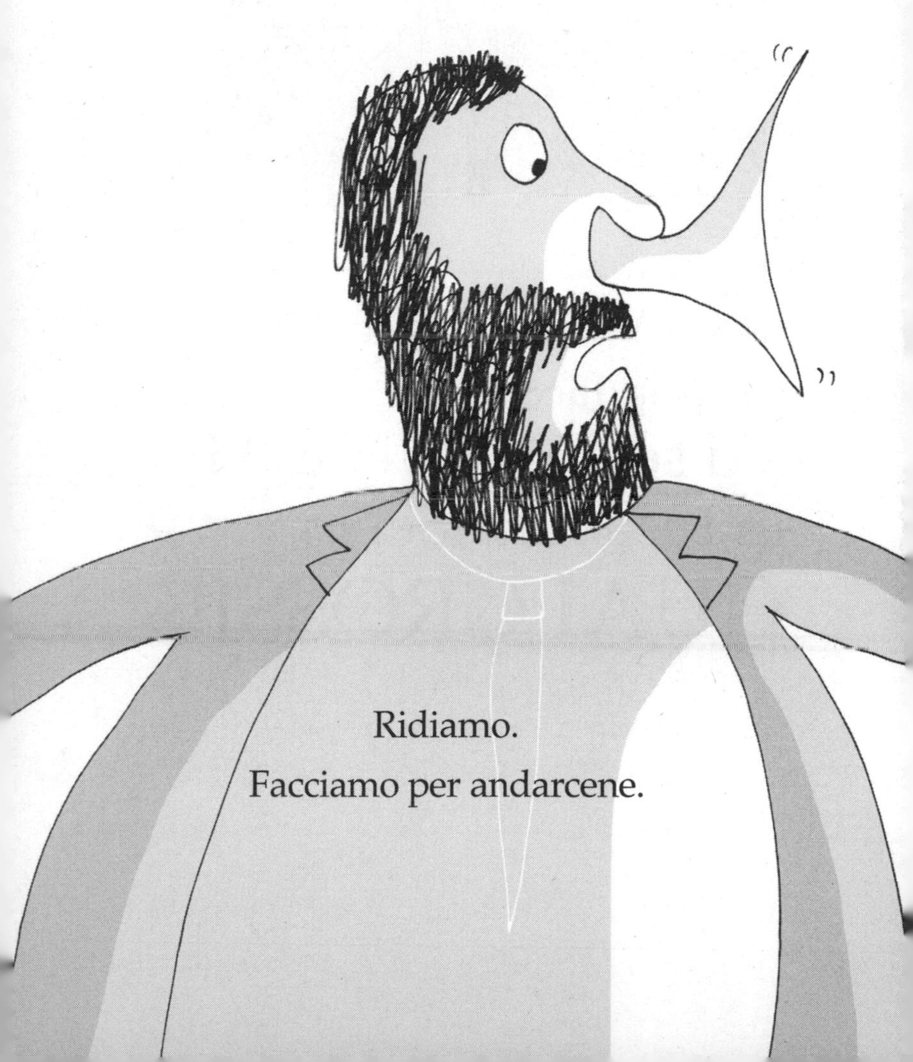

Ridiamo.

Facciamo per andarcene.

Ma i Birkinstead fanno capolino in cima alle scale.

«Rory Branagan!» strilla la Tacchinell. «Ti sei INTRUFOLATO in casa mia! Sei in GUAI GROSSI!»

«Perché non mi denuncia alla polizia?» suggerisco (con gli occhi che scintillano).

«Lo farò!» promette lei.

«Gli agenti sono a scuola» dico. «Adesso devo andare là. Il vero ladro sta per essere smascherato!»

«Cosa vuoi dire?» chiede la professoressa Tacchinell. «Chi sarebbe?»

«*Segua i detective!*» grido. «Stiamo per ACCIUFFARLO!»

Poi io e mio fratello schizziamo fuori dalla porta.

CAPITOLO TREDICI
La conferenza stampa

Non abbiamo tempo da perdere. Inforchiamo le bici e *pedaliamo fino a scuola*. A un certo punto, notiamo i Birkinstead fermi a un semaforo dietro di noi e Noè balza fuori per ACCHIAPPARCI.

Lo vedo avvicinarsi come uno zombi, con le narici che *fremono,* come se volesse *catturarci con quelle*.

Ci ha *quasi* presi. Ma poi il semaforo diventa verde.

L'istante dopo, mio fratello e io siamo FUORI PORTATA, e agitiamo le chiappe verso Grossenarici.

Passiamo IN NETTO VANTAGGIO
appena scendiamo dalla collina.

Stiamo pedalando a *rotta di collo* verso la scuola. Da quassù si vede tutto…

La conferenza stampa è un po' come il Grande Evento Televisivo. C'è il palcoscenico dove Stephen Maysmith è in piedi accanto a Fiona McTavish.

Ci sono due telecamere e un maxischermo che trasmette in diretta.

C'è la folla riunita in cortile. E sul retro, vicino al cancello, c'è una donna molto snob che sogghigna. È Lumacona, la sorella della professoressa Birkinstead, *nonché preside della King George School*.

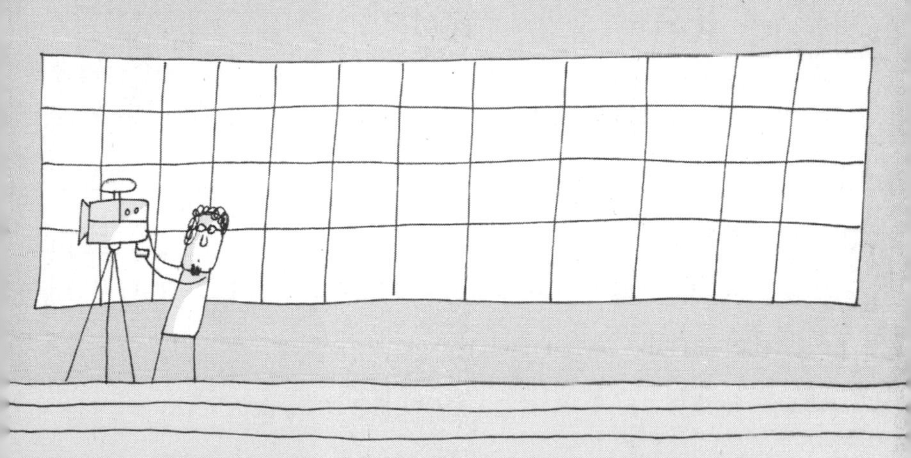

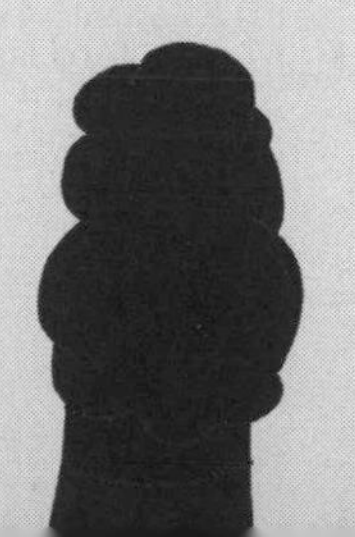

Mi avvicino con cautela.

«COSA guardi?» chiede.

«So che è stata LEI a rubare il nostro denaro!» rispondo.

«Ah sì? E allora perché *non ce l'ho*?» replica, e mi lancia un'occhiata MALVAGIA.

«La smaschererò» ringhio.

Lumacona si allontana.

Io faccio per seguirla, ma la professoressa Tacchinell mi ferma. «Rory» sibila, «non ci si INTRUFOLA in casa degli altri!»

«Sua sorella ha rubato il denaro» le dico.

Dal modo in cui mi guarda, mi rendo conto che non sapeva nulla. Ma non è affatto *sorpresa*.

«Sua sorella è MALVAGIA» le dico. «È convinta che la sua scuola debba avere *tutto* e la nostra NIENTE, e LEI glielo *permette*.»

«Non è così» dice lei. «Credimi»

«E cosa farà per impedirlo?» chiedo.

«Ssst, zitto!» mi ammonisce. Fa un cenno verso il palco. La conferenza stampa è iniziata.

Stephen Maysmith sta parlando.

«… e la polizia vuole TRANQUILLIZZARE i cittadini» dice. «Infatti, pochi secondi dopo il furto, gli agenti erano già qui. E hanno subito *catturato un sospetto*.»

E poi… non riesco a trattenermi.

«SÌ!» grido.

«Ma era quello sbagliato!»

Tutti mi fissano, ma nessuno mi crede.

Almeno, penso, *ho la loro attenzione.*

Salgo sul palco.

E indico Lumacona come se indicassi una strega.

«È *lei* la ladra!» dico. «Lei, la preside della King George School! Era INVIDIOSA della nostra fantastica festa. Si è travestita da professoressa Birkinstead, che poi è sua sorella, e ha RUBATO IL DENARO!»

«Sciocchezze» dice Lumacona. «Io non so dove sia il vostro denaro!»

«Invece l'ha preso lei!» grido. «E posso PROVARLO!»

Mi rivolgo a Fiona McTavish.

«Prenda la telecamera» dico. «Vada in ufficio e dica al professor Bolton di inserire nel computer la chiavetta con su scritto *Sorveglianza*. E cliccare su *play*.»

Guardo Stephen Maysmith. Lui non dice nulla.

Mi rendo conto che sono *io* a condurre la conferenza stampa. Spero proprio di non sbagliarmi.

Sul maxischermo, vediamo Fiona McTavish che entra a scuola. Con mio grande orrore, mi rendo conto che è in diretta… La stanno guardando migliaia di persone!

Penso: *Se ho preso un granchio, sarà tutto molto imbarazzante.*

La telecamera oltrepassa la signora Daniels. Va verso l'ufficio della professoressa Tacchinell…

… e nel frattempo io continuo a pensare a Lumacona che dice: «*Non so dove sia il vostro denaro*».

Gli *pterosauri* scendono in picchiata sulla mia testa.

Penso…

Penso . . .

Sto per fare IL PIÙ GRANDE E IMBARAZZANTE

ERRORE DELLA MIA VITA?

Poi, però, noto l'*ammaccatura sulla porta*, e penso:

SO CHE COSA È SUCCESSO

e HO RISOLTO

IL CASO!

Il professor Bolton prende la chiavetta e la inserisce nel computer.
La telecamera *zooma* sullo schermo.
Tutti sperano di assistere alla prova definitiva del Grande Furto…

… ma il ladro non compare.

Invece… *compaio io!* La mia faccia *riempie* lo schermo. RAPPO: «*Il malvagio Bolton Man! Il malvagio Bolton Man! Uh hu hu.*».

All'inizio restano tutti di sasso. Poi scoppiano a ridere.

Poi, sono capovolto. Muovendomi come una lucertola sul soffitto, continuo: «*Il malvagio Bolton Man… Sei proprio TU, Bolton Man! Oh yeah!*».

L'intera scuola sta ridendo. Temo che Fiona McTavish interrompa la trasmissione, ma…

… PER FORTUNA, *subito dopo* sul monitor appare qualcun altro.

Sembra proprio la professoressa Birkinstead. Indossa la giacca della professoressa Birkinstead. E ha i capelli della professoressa Birkinstead.

Sullo schermo, *la preside della King George School* apre la cassaforte. A-ah, colta in FLAGRANTE! *Mentre estrae la scatola di latta rosa, si vede chiaramente il suo labbrone da lumaca.* Sta per andarsene, ma IN QUEL MOMENTO il *vero ladro* spunta da dietro lo scaldabagno...

… ed è un *drago di Komodo* bello grosso! Fa saettare la lingua. La preside si volta. Strilla. E cede la scatola al drago.

Poi se la dà a gambe.

Adesso il drago ha la scatola in bocca e non riesce a ingoiarla.

Così parte alla CARICA verso la porta. ***Bang!***

Colpisce la porta così forte che lascia un'ammaccatura, poi *inghiotte la scatola*.

Fiona McTavish riappare in TV.

«Non capita spesso che un crimine sia risolto in diretta.» Sorride. «Ma questa volta è successo… Linea allo studio!»

CAPITOLO QUATTORDICI
Un finale epico

Fuori, alcuni esultano. Altri fischiano.

«La King George School è MALVAGIA!» grida Duncan Cliffhead. «Diamole *FUOCO*!»

Qualcuno deve prendere il controllo della situazione.

Per fortuna *qualcuno* lo fa.

È la professoressa Birkinstead.

Osserva la platea con il suo sguardo da *velociraptor*.

Tutti si zittiscono.

«La King George School non è malvagia, e non voglio che lo pensiate» dice. «Infatti, proprio questa settimana ci hanno concesso di usare, *gratis*, i loro campi da calcio, piscina e trampolini…»

Lancio un'occhiata a Lumacona, nascosta tra la folla e mi rendo conto che *non ha mai* sentito parlare di questo accordo.

Ma *non apre* BOCCA.

E poi Stephen Maysmith l'afferra per un braccio.

E all'improvviso spunta il sole, e la maggior parte di noi pensa: *In fondo la professoressa Tacchinell non è poi così male! Ci ha appena messo a disposizione piscina e campi da calcio. Merita di fare la preside!*

Angolino, però, sta pensando ancora ai pinguini.

«Ma» interviene «avremo lo stesso il nostro PARCO AVVENTURA?»

«Be', questo dipende dal signor Mulligan» risponde la professoressa Birkinstead.

Guarda oltre la folla. E *tutti* si voltano. C'è Michael Mulligan.

«Visto che il mio drago ha mangiato il vostro denaro» tuona, «vi darò la cifra pattuita. Potete scegliere in cosa volete trasformare la vecchia fabbrica. Ma la chiamerete *Area draghi* Michael Mulligan.»

Fa un sorriso *micidiale*.

«Accettate?» chiede.

«Accetto» risponde la professoressa Birkinstead. E l'intera scuola vede qualcosa che non ha mai visto prima…

Il suo sorriso.

Ed è davvero un bel sorriso.

«Perciò propongo» dice, «di cancellare le lezioni previste per oggi e di andare tutti alla King George School a farci una bella nuotata!»

Il cortile esplode come un *vulcano di gioia*.

«SÌÌÌÌÌÌ!!!» urliamo in coro. E tutti CORRONO alla King George School, pronti a tuffarsi.

Anche io sto per mettermi a correre.

Ma qualcuno mi picchietta su una spalla.

Mi volto.

E vedo quel *qualcuno*.

Indossa il pigiama. E sogghigna.

«Branagan il Duro!» dice la Gatta. «Hai appena risolto un altro caso!»

Sono *così* felice che sia tornata in pista!

«Ma non ce l'avrei mai fatta» le dico, «se tu non fossi finita addosso a Lumacona e non avessi recuperato le riprese della telecamera di sorveglianza! Come *hai fatto* a sospettare di lei?»

La Gatta sorride, e il suo sguardo non è mai stato più sornione di così. Proprio da gatto!

«Questo è un segreto» dice, «e tu non sei tenuto a saperlo. Perché ora voglio andare a nuotare!»

Montiamo in sella alle nostre bici: io e la Gatta, mio fratello e anche Angolino.

E in un lampo arriviamo alla King George School. I nostri compagni sono già tutti lì!

E si tuffano a bomba, con indosso solo i boxer o i pantaloni arrotolati.

Salgo sul trampolino più alto insieme a mio fratello. Mamma mia, è VERTIGINOSO!

«Hai paura di saltare?» chiede mio fratello.

Okay, devo confessarglielo.

«Sì!» dico. Odio ammetterlo, ma è la verità.

«Pensavo non avessi *mai* paura!» dice.

«A dire la verità» confesso, «ho avuto paura tutto il giorno!»

«Anch'io» dice lui. «Ma abbiamo fatto cose *pazzesche* oggi: saremmo stati stupidi a non avere paura. Sai quello che si dice, no?»

«Che cosa?» chiedo.

«È normale avere paura» dice mio fratello. «Ma… a un certo punto, devi AFFRONTARLA, e VINCERLA. Ed è quello che abbiamo fatto oggi.»

Guardo mio fratello, e penso: *PERCHÉ indossa ancora il suo CASCO DA CICLISTA?*

Penso: *Mio fratello è un vero IDIOTA. Ma senza dubbio non è un CRIMINALE.*

E oggi mi ha aiutato. Ed è stato davvero divertente.

«Seamus» dico, «grazie per oggi.»

«Non c'è di che!» fa lui, e all'improvviso mi sento così IN IMBARAZZO che *voglio solo buttarlo giù dal trampolino.*

Ma non lo faccio.

(*Credetemi! Non lo faccio!*)

Osservo la distesa di persone che si danno alla pazza gioia e penso: *È stato tutto merito nostro,* e mi sento così pieno di orgoglio che potrei esplodere.

Vedo la Gatta con Angolino; lui le sta mostrando il cucciolo di Mike Tyson. E vedo Stephen Maysmith. Passeggia dandosi un sacco di arie mentre mangia biscotti alla crema.

«Ci tuffiamo e lo bombardiamo?» chiedo a mio fratello.

«Be', io sono il fratello maggiore» risponde lui. «E dico: *sì!*»

Ridacchio.

Poi guardo giù un'ultima volta, e penso: *Mamma mia, è davvero altissimo!* Poi, però, penso: *È un'occasione unica per bombardare Stephen Maysmith.*

Sorrido e guardo mio fratello.

Gli tendo la mano.

Lui l'afferra. E sorride a sua volta.

E poi, insieme, SALTIAMO.

Fine

GLI AUTORI

Andrew Clover

Scrittore, insegnante, giornalista
e attore comico, da molti anni propone
il suo show, *I sette segreti dello storytelling*,
nelle scuole di tutto il mondo.

Ralph Lazar

Artista e illustratore sudafricano,
è l'ideatore di Happiness is…,
un progetto la cui pagina Facebook
@itsthehappypage ha quasi tre milioni
e mezzo di follower.